Sonne, Strand
und noch
viel Meer

Die schönsten
Sommergeschichten

UEBERREUTER

Die Deutsche Bibliothek – CIP-Einheitsaufnahme

Sonne, Strand und noch viel Meer : die schönsten
Sommergeschichten. – Wien :
Ueberreuter, 2002
ISBN 3-8000-2887-5

J 2653/1
Umschlaggestaltung von verlagsbüro wien
unter Verwendung eines Fotos von Buenos Dias
Copyright © aller Originalbeiträge bei den Autorinnen und Autoren
Copyright © 2002 by Verlag Carl Ueberreuter, Wien
Printed in Austria by Druckerei Theiss
1 3 5 7 6 4 2

Ueberreuter im Internet: www.ueberreuter.de

Dieser Titel erschien bereits 1998 unter dem Titel »Strandgeflüster«
im Verlag Carl Ueberreuter.

Inhalt

Carolin Philipps

Ein Kobold vergisst nicht

Falls meine Eltern die Geschichte jemals erfahren sollten, kann ich mich auf was gefasst machen. Bin ich froh, dass sie zur Zeit noch weit weg auf Kreta in der Sonne schmoren und keine Ahnung haben, dass ihre Tochter nach einem dreitägigen Krankenhausaufenthalt wegen starker Unterkühlung und einem Schock zur Zeit mit einem verstauchten Fuß im Garten bei Bauer Rasmussen im Liegestuhl sitzt und sich erholen soll. Das Letzte, was ich jetzt gebrauchen kann, sind Eltern, die mir ein Loch in den Bauch fragen, wie das passieren konnte. Und meine Mutter würde sicher wieder damit anfangen, dass sie schon vorher Befürchtungen hatte, dass irgendetwas schief gehen könnte.

Nichts, aber auch gar nichts war vorauszusehen gewesen. Denn sonst hätten sie mich sicher nicht mit der Gruppe vom »Haus der Jugend« nach Bornholm fahren lassen. Wo sie sonst doch immer so supervorsichtig sind. Bei Korsika oder Mallorca hätten sie wahrscheinlich mehr Bedenken gehabt. Aber Bornholm! Immerhin spreche ich durch unsere alljährlichen Urlaube dort fast fließend Dänisch. Was sollte mir da schon passieren?

Zehn Jahre lang waren wir jedes Jahr in unser Stammquartier bei Bauer Rasmussen im Süden der Insel gefahren. Hundert Meter vom Bauernhof entfernt, umgeben von Wiesen, liegt die alte Scheune, die der Bauer zu einer Ferienwohnung umgebaut hat.

Ich kenne dort nicht nur jeden Grashalm, sondern auch

jeden Baum und jedes Haus auf dem Rest der Insel. Jedenfalls hab ich das bis zu diesen Ferien geglaubt. Dass es noch Flecken gibt, von denen bestimmt nicht einmal mein Vater weiß – wer hätte das schon gedacht. Wenn mir jemand vor drei Wochen erzählt hätte, ich würde mich auf Bornholm zu Tode ängstigen, hätte ich ihn ausgelacht.

Sonnen, baden, am Strand liegen, auf den Klippen herumklettern, frisch geräucherte Heringe essen, den Glasbläsern zuschauen – so friedlich sah unser alle Jahre wiederkehrendes Programm aus, das für mich schon lange seinen Reiz verloren hatte.

Der Hof von Bauer Rasmussen liegt einsam zwischen Feldern und Wiesen. Bis nach Rønne, der nächsten Stadt, sind es viele Kilometer. Und das Angebot in den Regalen der Geschäfte dort kennt man nach wenigen Besuchen auswendig. Die kleinen Fischerdörfer und buntbemalten Häuser, die meine Eltern alle Jahre wieder zu Entzückensschreien hingerissen haben, bevor sie erneut fotografiert wurden, haben mich schon im letzten Jahr genervt.

Mein Vater war darum zuerst sehr verwundert, als ich fragte, ob ich mit einer Jugendgruppe nach Bornholm fahren dürfe. »Bornholm?«, sagte er und starrte mich über seine Zeitung hinweg erstaunt an. »Du meinst das gleiche Bornholm, wo du dich vor einem Jahr so gelangweilt hast? Ich kann diese Insel nicht mehr sehen! Jeden Stein kenne ich schon auswendig! Deine Worte. Schon vergessen?«

»Gemeinsam mit den anderen macht es bestimmt Spaß, egal wo wir sind.«

»Selbst auf Bornholm, meinst du?«

»So schlecht war es ja auch wieder nicht. Nur immer das Gleiche.«

»Was, glaubst du, hat sich seit dem letzten Jahr geändert? Na, vielleicht haben sie eine Disco mehr. Oder hast du Sehnsucht nach den Kobolden?«

Ich musste lachen. Die Kobolde und Bornholm, das gehörte für mich zusammen, seit die alte Lena mir zum ersten Mal vor vielen Jahren davon erzählt hat. Sie war die Mutter von Bauer Rasmussen. Bei den Inselbewohnern galt sie als Hexe. Die Leute flüsterten ihren Namen nur hinter vorgehaltener Hand. Wenn sie hörten, wo wir wohnten, bekamen die meisten große Augen.

»Nehmt euch in Acht! Sie hat den sehenden Blick.« So oder ähnlich wurden meine Eltern gewarnt. Zu mir sagten die Leute: »Pass bloß auf, sonst verwandelt sie dich in einen Frosch.« Meine Eltern lachten nur, aber ich war nicht so sicher, ob nicht etwas Wahres an der Sache dran war. Jedenfalls ließ ich sie anfangs nicht aus den Augen, wenn sie auf ihrem Stock über den Hof humpelte. Zu allem Überfluss besaß sie auch noch einen schwarzen Kater, der ihr überallhin folgte. Im Märchen haben Hexen immer schwarze Kater an ihrer Seite.

Nach einer Weile aber verlor ich meine Angst, denn eigentlich sah sie nicht viel anders aus als meine Oma zu Hause. Außerdem konnte sie wunderbare Geschichten erzählen. Und so saß ich oft bei ihr am Ufer des Flusses und hörte ihr zu. Sie erzählte mir von Krölle Bölle, dem freundlichen Kobold, der mit seinen Eltern im Norden Bornholms auf dem Langebjerg wohnt. Mit seiner großen Nase, einer einzigen Locke auf dem Kopf und dem behaarten Körper ist er zwar nicht gerade eine Schönheit, aber er ist wenigstens, abgesehen von gelegentlichen Streichen, freundlich zu den Menschen.

Natürlich war es nicht der Kobold, der mich nach Bornholm zog. Aber den wahren Grund konnte ich meinen Eltern nicht nennen: Jens!

Eigentlich stehe ich mehr auf dunkle Typen. Der Italiener in Giovannis Eisladen zum Beispiel. Wenn der mich anlächelt ... Na ja, jedenfalls war Jens auf den ersten Blick so gar nicht mein Fall. Groß und schlank, lange, blonde Locken, die ihm bis auf die Schultern hängen. Eher so ein verträumter Typ, der überallhin seine Gitarre mitschleppt.

Er kann fantastisch spielen. Zum ersten Mal hab ich ihn und seine Band im »Haus der Jugend« gehört. Sie nahmen an einem Wettbewerb lokaler Rockbands teil. Die Jury hat ihnen zwar nur den 2. Preis zuerkannt, aber für mich gehörten sie vom ersten Ton an zu den Größten.

Das lag natürlich an Jens, der nicht nur Gitarre spielte, sondern auch sang. Er hat mich die ganze Zeit angeschaut und ich hatte das Gefühl, dass er seine Lieder nur für mich singt.

Nach dem Konzert war ich mit zwei Freundinnen noch hinter der Bühne. Jens hat uns in eine Kneipe zum Feiern mit der Band eingeladen. Den ganzen Weg dorthin hat er seinen Arm um mich gelegt und ich schwebte durch die Straßen.

Von da an begleitete ich die Band überallhin, wenn sie am Wochenende Konzerte in Discos und Kneipen gab.

Die Band besteht aus Jens, Pete (eigentlich Peter) am Keyboard und Danny (Daniel) am Schlagzeug. Ob die anderen es so gut fanden, dass ich immer mitkam, weiß ich nicht. Anfangs bestimmt nicht, aber nach einigen Wochen hatten sie sich an mich gewöhnt – wie an ein Maskottchen.

Als ich hörte, dass die Band im Sommer nach Bornholm fahren würde, um sich wie jedes Jahr mit dänischen Freunden zum Zelten zu treffen, war ich enttäuscht. Vier Wochen ohne Jens! Wie sollte ich das bloß aushalten? Zum Mitfahren hätte ich nie die Erlaubnis bekommen.

Aber dann hatte ich Glück. Das »Haus der Jugend« in unserem Stadtteil plante für den Sommer ebenfalls ein Zeltlager auf Bornholm. Mit dieser Gruppe würde ich hinfahren; aber sobald wir auf Bornholm angekommen waren, würde ich schon einen Weg finden, um mein Zelt in der Nähe von Jens aufzuschlagen.

Mein Vater, mit dem ich mich meistens sehr gut verstehe, schaffte es schließlich, meiner Mutter den Bornholmurlaub schmackhaft zu machen. »Wir fahren dieses Jahr nicht weg. Der Winterurlaub war teuer genug«, sagte er beim Abendessen. »Jetzt stell dir bloß vor, das Wetter ist schlecht und Janina gammelt sechs Wochen lang im Haus herum und jammert dir die Ohren voll.«

Diese Vorstellung muss meine Mutter ziemlich erschüttert haben. Jedenfalls war sie von dem Moment an für die Reise und spendierte mir sogar einen todschicken Bikini. Als dann meine Eltern doch noch einen Last-Minute-Flug nach Kreta buchten, waren alle zufrieden.

Es sollte ein wunderschöner Sommerurlaub werden. Jens und ich am Strand ... In meinen Träumen zeigte ich ihm schon die ganze Insel, wanderte mit ihm durch die Fischerdörfer, saß stundenlang auf den Felsen und bewunderte den Sonnenuntergang.

Aber es kam ganz anders. Schon als ich Jens erzählte, dass ich mich bei der Jugendgruppe angemeldet hatte, war er nicht besonders begeistert, was mir zu diesem Zeitpunkt aber nicht so auffiel.

»Wenn du in dem anderen Zeltlager bist, können wir ohnehin nicht so viel zusammen machen. Mach dir keine falschen Vorstellungen. Wir treffen uns seit Jahren auf der Insel und haben unser eigenes Programm«, meinte er.

War ich blind? Warum war mir nicht gleich aufgefallen, dass er mich nicht dabei haben wollte?

Endlich war es so weit! Mit dem Zug ging es nach Rügen und von dort auf die Fähre. Abfahrt 23.15 Uhr. Um Geld zu sparen, hatten sich Jens, Pete und Danny für die Fahrt unserer Gruppe angeschlossen. Ich hatte gehofft, dass es inzwischen eine Disco auf dem Schiff geben würde, so wie ich es auf der Fähre nach London von der letzten Klassenfahrt her kannte. Eine Nacht mit Jens durchtanzen! Aber natürlich gab es keine Disco, nur Flipperautomaten und den Dutyfreeshop.

Als der Shop eine halbe Stunde nach Abfahrt geöffnet wurde, sprangen die drei gleich auf und Jens meinte zu mir: »Halt du mal unsere Plätze frei. Wir bringen dir auch was Schönes mit.« Eine Viertelstunde später kamen sie mit Plastiktüten beladen zurück: Cola für mich und sonst jede Menge Bierdosen, zwei Flaschen Apfelkorn und eine Whiskyflasche. Anfangs war es ganz lustig. Wir spielten Karten und tranken. Cola mit Rum hatte ich vorher schon probiert, Apfelkorn war mir neu.

Hätte mir da schon auffallen müssen, wie viel Alkohol Danny, Pete und Jens in sich hineinkippten? Während die anderen immer lauter wurden, fielen mir die Augen zu. Zum Glück hatte Jens Decken organisiert. Die Cafeteria, in der wir saßen, hatte sich mittlerweile in einen Schlafsaal verwandelt. Überall lagen die Leute auf Decken, Pullovern und Rucksäcken auf dem Boden und schliefen. Also rollte ich mich auch unter dem Tisch zusammen und schlief ein.

Zwischendurch wachte ich wieder auf, als Danny anfing zu singen. Die Leute in der Cafeteria schimpften. Schließlich kam jemand von der Schiffsbesatzung und verwarnte Danny.

Irgendwann in der Nacht wachte ich auf und spürte Jens neben mir. Ich kuschelte mich an ihn und war glücklich, obwohl er nach Korn stank und laut schnarchte, was ich sonst, bei meinem Vater zum Beispiel, schrecklich finde. Bei Jens hörte es sich melodisch an, fand ich jedenfalls damals. So konnte es von mir aus jede Nacht sein. Hätte ich da ahnen können, dass es das erste und einzige Mal bleiben würde?

Die Einzige bei der ganzen Geschichte, die wirkliche Ahnungen hatte, war die alte Lena. Und die ist seit fünf Jahren tot und hat nicht mehr miterlebt, wie ihre Prophezeiung Wirklichkeit wurde.

Auf Bornholm gibt es nämlich nicht nur freundliche Kobolde. Sie erzählte mir immer wieder von dem schrecklichen Kobold, der im Fluss Laeso direkt hinter Bauer Rasmussens Hof wohnt. Er war mir von Anfang an unheimlich. Immer, wenn ich frech war oder nicht so wollte wie meine Eltern, rief die alte Lena: »Pass auf, dass dich der Kobold nicht holt. Er mag freche Kinder besonders gern.«

Alle sieben Jahre verlangt der Kobold nach einem Menschenleben, und wenn zu diesem Zeitpunkt keiner ertrinkt, ruft er: »Die Zeit ist um!« – »Und dann«, erzählte die alte Lena und ihre Augen funkelten, »dann wird einer ausgewählt, der dem Kobold geopfert wird.«

»Setz der Kleinen keine Horrorgeschichten in den Kopf«, schimpfte Bauer Rasmussen, wenn er zufällig vorbeikam. »Sie glaubt wirklich noch daran, dass es den Kobold gibt.« Das tat ich auch und hatte Angst, am Fluss zu spielen.

Meiner Mutter kam diese Geschichte gerade recht, denn sie machte sich Sorgen, dass ich in den Fluss fallen könnte. Darum verstärkte sie meine Angst vor dem Kobold. An regnerischen, nebligen Tagen zeigte sie mir die Nebelschwaden, die vom Fluss aufstiegen.

»Siehst du die fein gesponnenen Fäden? Das ist der Kobold, der sein Netz ausspannt, um sich einen Menschen zu fangen. Geh niemals nah an den Fluss, sonst zieht er dich hinein.«

Jahrelang habe ich um diesen Fluss tatsächlich einen weiten Bogen gemacht, vor allem, nachdem ich mit sieben Jahren beim Versteckenspielen doch hineingefallen war. Mein Schreien alarmierte die Erwachsenen. Mein Vater sprang hinein und zog mich aus dem schlammigen Wasser.

Als ich tropfnass dastand und Wasser und Schlamm spuckte, sah ich plötzlich die alte Lena. Sie stand am Ufer und zeigte mit ihrem Stock auf die Flussmitte. Dort, wo ich untergegangen war, blubberte es und kleine Wasserringe verteilten sich auf der Oberfläche, als habe jemand einen Stein hineingeworfen. »O Janina! Das wird der Kobold nie verzeihn«, flüsterte sie. Dann zeigte sie mit dem Stock auf mich und rief mit schriller Stimme. »Er vergisst nie. Hüte dich, mein Kind. Eines Tages wird er dich holen. Hüte dich!«

Ich schrie vor Angst. Bauer Rasmussen packte seine Mutter zornig beim Arm und führte sie hastig weg. Auf Dänisch schimpfte er auf sie ein.

Na ja, Trolle, Kobolde und Elfen sind was für Kinder und alte Leute. Ich jedenfalls glaubte längst nicht mehr daran.

Kurz vor Bornholm erklärte ich dem Jugendleiter, dass ich starke Halsschmerzen und Schüttelfrost hätte. Er sah mich erschrocken an: »Na, das können wir jetzt ja besonders gut gebrauchen. Was machen wir bloß mit dir?«

»Ich könnte für die ersten Tage bei Bauer Rasmussen bleiben. Der hat gesagt, ich kann jederzeit kommen.« Dabei hielt ich mir stöhnend den Kopf. »Um mich dreht sich alles.«

Sobald wir angekommen waren, rief ich bei Bauer Rasmussen an. Schon eine halbe Stunde später erschien er mit seiner besorgten Frau an der Fähre. Mit vielen Worten und Gesten entschuldigte sich unser Jugendleiter bei den beiden, weil er ihnen so viele Umstände machte. Aber im Grunde sah man ihm seine Erleichterung an, dass er mich versorgt wusste und mit dem Rest der Gruppe endlich weiterfahren konnte.

Von Jens hatte ich mich auch schon verabschiedet. Ich hatte ihm von meinem Plan nichts erzählt. Ich wollte ihn überraschen, sobald ich mich, ohne Verdacht zu erregen, bei Bauer Rasmussen verdrücken konnte.

Etwas enttäuscht war ich allerdings schon, dass er so gar keine eigenen Pläne machte, mich zu treffen. Er umarmte mich und meinte nur: »Man sieht sich bestimmt. Die Insel ist ja nicht so groß.« Dann winkte er mir zu und verschwand im Bus.

Der Bauer und seine Frau waren sehr besorgt um mich. Was ich an Kräutertee allein am ersten Tag schlucken musste, deckt normalerweise meinen ganzen Jahresbedarf. Für die Durchführung meines Planes musste ich schon ziemlich leiden. Aber ich schluckte Hustentropfen und Kräutertees, ohne das Gesicht zu verziehen. Schließlich stand am Ende das Wiedersehen mit Jens.

Schon am nächsten Tag rief der Jugendleiter an, um sich nach mir zu erkundigen. Bauer Rasmussen versprach ihm, mich im Zeltlager vorbeizubringen, sobald ich wieder ganz gesund war. Nach zwei Tagen war es so weit. Der Bauer fuhr mich zum Campingplatz meiner Jugendgruppe. Dass es die falsche war, konnte er ja nicht ahnen.

Der Empfang war jedoch ganz anders, als ich ihn mir ausgemalt hatte. Überrascht war Jens schon, aber keineswegs freudig. Eher peinlich berührt, verlegen. Neben ihm

15

stand ein Mädchen, das mich misstrauisch betrachtete. Sie war verdammt hübsch. Blonde, kurze Haare, braungebrannt, abgeschnittene Jeans und ein enges, knallrotes T-Shirt.

»Willst du etwa bei uns bleiben?«, war das Einzige, was Jens zur Begrüßung schließlich herausbrachte. Während ich noch nach einer passenden Antwort suchte, legte das Mädchen seine Arme um Jens und gab ihm einen Kuss.

»Wir wollen das mal gleich klarstellen«, sagte sie. »Ich weiß zwar nicht, wer du bist, aber der Jens gehört in den nächsten drei Wochen mir. Das ist schon Tradition. Danach kannst du ihn zurückhaben.«

Warum bin ich da nicht gleich weggegangen? Ich weiß es einfach nicht. Ich war wütend und enttäuscht, aber so leicht wollte ich nicht aufgeben. Jens gehörte mir. Nur seinetwegen war ich nach Bornholm gekommen. Ich wollte mit ihm am Strand liegen, Spaß haben, Urlaub machen. Nein, so leicht würde ich es der dummen Kuh nicht machen.

Zunächst aber hatte die andere die besseren Karten. Sie hakte sich bei Jens ein und zog ihn mit sich. »Komm, wir wollten doch schwimmen gehen.«

Jens grinste mich verlegen an und hob die Schultern.

»Das ist Swantje. Völlig abgedreht, aber sonst ganz okay. In zehn Minuten bin ich wieder da. Danny kann dir schon mal deinen Zeltplatz zeigen.«

Fassungslos starrte ich den beiden nach. Jetzt wurde mir so langsam klar, warum Jens mich nicht dabei haben wollte. Weil er hier schon eine Freundin hatte. Eine für den Alltag und eine für den Urlaub. Tolle Aussichten!

Danny stand neben mir, legte einen Arm um mich und meinte: »Nimm's nicht so tragisch. Die kennen sich schon seit drei Jahren. In den Ferien im Camp sind sie immer zusammen. Aber sobald wir wieder zu Hause sind, denkt der Jens nicht mehr an sie. Komm, ich führ dich rum.«

Ich folgte ihm, weil ich nicht wusste, was ich sonst tun sollte. Am liebsten wäre ich nach Hause gefahren. Danny, dem ich wohl Leid tat – oder erfüllte er nur den Auftrag von Jens, sich weiter um mich zu kümmern, damit ich ihm nicht im Weg war? –, organisierte nach dem Mittagessen Fahrräder. Mit Handtuch und Schwimmzeug zogen wir los zum Strand bei Hasle. Zwei Meter hohe Wellen rollten auf den Strand zu. Wir waren die Einzigen, die sich ins Wasser trauten. Es war herrlich, wenn auch gefährlich, aber genau das Richtige, um mich von meiner Wut und Enttäuschung abzulenken.

Zum Abendessen spendierte Danny frischen Hering aus der Räucherei. Wir saßen auf den Holzbänken am Strand und aßen. Es war wie in meinem Traum, nur dass eben nicht Jens neben mir saß.

Es war Swantje, die am zweiten Abend am Lagerfeuer die Idee hatte. Wahrscheinlich ärgerte es sie, dass ich mich neben Jens gesetzt hatte und, als sie kurze Zeit später auftauchte, nur noch der Platz neben Pete frei war. Angeblich ist es ein alter Brauch, dass alle Neuen in der Gruppe um Mitternacht getauft, das heißt durch eine besondere Zeremonie aufgenommen werden müssen.

Die anderen waren sofort begeistert. Ich wurde weggeschickt, weil ich die Vorbereitungen nicht mitbekommen durfte, und Swantje setzte sich triumphierend an meinen Platz. Da ich das Ganze irgendwie albern fand, verkroch ich mich wütend mit einem Buch in meinen Schlafsack.

Draußen am Lagerfeuer lachten und lärmten sie noch viele Stunden lang. Als ich kurz nach Mitternacht zum Klo musste, hüpften sie ums Lagerfeuer herum. Es war eine unheimliche Szene. In einer Hand eine Bierflasche hoch über dem Kopf schwenkend, tanzten sie mit wilden Sprüngen um das Feuer. Jens spielte auf seiner Gitarre schrille Akkorde. Zwischendurch schrien sie »Haju!« und drehten sich im Kreis. Die Flammen erhellten ihre Gesichter. Verzerrte Fratzen. Ich hatte Angst, wenn ich an den nächsten Abend dachte, an dem die Taufe stattfinden sollte.

Da es sehr warm war, zog ich meinen Schlafsack aus dem Zelt und schlich mich an den Rand der Wiese. Dort, unter zwei Bäumen, legte ich mich ins Gras. Von hier aus beobachtete ich sie, fühlte mich sicher, weil niemand wusste, wo ich war.

Am nächsten Morgen war ich als Erste wach, weil mein Schlafsack neben einer Ameisenstraße lag und ich krabbelnde Ameisen in meinem Schlafsack nicht unbedingt schätze. Vorsichtig schlich ich mich zum Lagerfeuerplatz. Die Asche qualmte noch vor sich hin. Neben dem Feuer lagen rechts und links einige schnarchende Gestalten, die es nicht mehr bis zu den Zelten geschafft hatten. Ich stolperte über Bierdosen und leere Kornflaschen. Über der ganzen Szene lag eine Duftwolke aus Bier und Rauch, von der mir übel wurde.

Im Gemeinschaftshaus machte ich mir Kaffee und aß einsam ein Brötchen. So hatte ich mir meinen Urlaub bestimmt nicht vorgestellt. Da sich von den anderen immer noch keiner blicken ließ, beschloss ich, alleine loszuziehen. Ich holte mir meine Badesachen aus dem Zelt und fuhr mit dem Bus kreuz und quer über die Insel. Glasbläser in Swaneke, Schwimmen in Duodde, alles, was ich eigentlich mit Jens machen wollte.

Erst gegen Abend kam ich zurück. Am Eingang lief ich Danny in die Arme. »Da bist du ja endlich. Wir haben schon gedacht, du hast dich verdrückt.«

Wenn ich geahnt hätte, was passieren würde, hätte ich das auch getan. Aber die »Taufe« sollte doch ein Spaß sein und ich würde dann endlich dazugehören. Nach dem Abendessen ging es los. Nicht, dass ich sehnsüchtig darauf gewartet hätte, aber ich wollte es einfach hinter mich bringen. Wenn Swantje nicht gewesen wäre, hätte ich die ganze Sache abgeblasen. Im Grunde fand ich es albern, solche Zeremonien zu veranstalten, aber Swantje behandelte mich wie einen gerade noch geduldeten Besucher und ließ mich bei jeder Gelegenheit spüren, dass ich eigentlich nicht zur Gruppe dazugehörte. Wenn diese blöde Taufe endlich vorüber war, würde ich es Swantje heimzahlen, dass sie mir Jens ausgespannt hatte.

Als es dunkel wurde, stieß noch eine kleine Gruppe von Jugendlichen aus dem nächsten Ort zu uns. Einige schleppten Bierkästen heran. Andere hatten weiße Bettlaken übergezogen und kreischten mit lautem »Huuhh« über die Wiese. Ein Besäufnis von Gespenstern, das würde eine harmlose Veranstaltung werden, dachte ich erleichtert.

Es dauerte noch eine Weile, bis wir endlich losziehen konnten. Wir mussten auf Jens, Björn und Swantje warten, die mit Björns Auto unterwegs waren. Als sie endlich kamen, wurden sie umringt.

Zuerst konnte ich nicht erkennen, was Swantje und Jens unter dem Gegröle der anderen aus dem Kofferraum holten. Stangen, an denen etwas Schwarzes baumelte. Dann kam Swantje zu mir und wedelte mit ihrer Stange vor meinen Augen hin und her. Eine Feder streifte mein Gesicht. Ich schrie auf und Swantje lief lachend weiter. Da bekam ich zum ersten Mal Angst. Das schwarze Etwas, das an der Stange baumelte, war ein toter Rabe.

Und ich wusste auch, woher sie die Raben hatten. Im

Süden der Insel auf den Feldern, dort, wo auch Bauer Rasmussen seinen Hof hat, gibt es viele Raben, die in großen Schwärmen über die Felder und Wiesen niedergehen. Einige werden von den Bauern abgeschossen. Dann legt man ihnen eine Schlinge um den Hals und hängt sie an den Zäunen rund um die Felder auf. Sie dienen als Vogelscheuchen, um die anderen Vögel von der Saat auf den Feldern fernzuhalten.

Schon von weitem sieht man die Raben, wie sie da als schwarze Leichen im Wind hin und her baumeln. Wenn man näher kommt, sieht man ihre toten Augen. Schon als Kind habe ich mich vor ihnen geekelt.

Von diesen Raben hatten sie insgesamt sieben Stück, einschließlich der Stangen, besorgt. Sie wurden an sieben Leute verteilt, die dann unseren Zug anführten. Ich kam als Letzte, geführt von Bernd und Anna, da man mir die Augen verbunden hatte. Anna merkte wohl, dass ich Angst hatte. Sie flüsterte mir zu: »Es ist überhaupt nicht so schlimm. Ich hab das auch mitgemacht. Es ist doch nur ein Spaß.«

Ich stolperte hinter den anderen her. Nach kurzer Zeit ging es bergauf. Ich hatte schnell jede Orientierung und jedes Zeitgefühl verloren, setzte einfach nur Fuß vor Fuß und war froh, dass Anna und Bernd mich festhielten. Die anderen machten sich bereits über die Biervorräte her. Als wir endlich anhielten und mir die Augenbinde abgenommen wurde, waren einige bereits betrunken.

Es war schon fast dunkel. Trotzdem erkannte ich den Ort, an dem wir uns befanden. Wir standen mitten auf dem Trollberg. Umgeben von knorrigen, uralten, vertrockneten Bäumen liegen dort am Gipfel des Berges Steine. Überdimensionale Kieselsteine, von denen nur die glatte Oberfläche aus dem Boden ragt. Die meisten liegen halb verborgen unter Moos und Flechten. Die alte Lena hat erzählt, dass sich hier die Trolle zu ihren Versammlungen treffen. Ich war früher schon einmal mit meinen Eltern hier gewesen. Schon damals war mir der Ort unheimlich, weil ich hinter jedem Stein einen Troll vermutete, der sich versteckt hatte, um mir aufzulauern.

Von hier aus kann man auch Hammershus, die alte Burgruine, sehen, die jetzt am Abend von allen Seiten angestrahlt wurde. Die winzigen Punkte dort am Mauerrand waren Touristen. Ob sie mich wohl hören würden, wenn ich schrie? Ich schüttelte mich. Es würde nichts zum Schreien geben. Denn es war doch nur ein Spaß.

Jens führte mich zu dem Stein in der Mitte. Er bedeutete mir, ich solle mich setzen. »Was soll das?«, fragte ich. Er legte seinen Finger auf den Mund. Auch die anderen schwiegen. Von dem Moment an, als wir die Lichtung des Trollberges erreicht hatten, sprach niemand mehr. Geschäftig liefen sie hin und her. Sie wussten genau, was zu tun war. Jeder Handgriff saß. Ich kauerte mit angezogenen Beinen auf meinem Stein und beobachtete sie.

Als Erstes stellten sie die Stangen mit den toten Raben in einem Kreis rund um meinen Stein auf. Manche der Vögel hatten ihre Schnäbel aufgesperrt und schienen mich anzusehen. Ich zog mich ein Stück weiter nach oben, verlor das Gleichgewicht und rollte den Stein hinunter gegen eine Stange, die umfiel und auf mich herabstürzte. Die Rabenaugen sahen mich an. Ich sprang auf und rannte davon. Nach fünf Metern hatte Bernd mich eingeholt.

»Du stellst dich aber ganz schön an. Hast du noch nie tote Vögel gesehen?« Er schubste mich auf den Stein zurück. Ich versteckte mein Gesicht in den Armen. Mir war schlecht vor Angst und Ekel. Dann roch es plötzlich nach brennendem Holz. Sie hatten in einem zweiten Kreis um meinen Stein herum Holzäste zu Feuerstellen gestapelt, die sie anzündeten. Jens setzte sich mit seiner Gitarre auf einen anderen Stein und fing an zu spielen. Leise, langsame Melodien. Die anderen stellten sich in einem dritten Kreis auf und begannen im Zeitlupentempo um mich herum zu tanzen. Die Musik wurde schneller, wilder. Die Tänzer wirbelten umher. Sie warfen ihre Arme hoch und stießen wilde Schreie aus. Wie in einem Indianerfilm. Zum Totlachen.

Aber mir war nicht zum Lachen. Ich hatte nur Angst. Die Feuer warfen Schatten auf die toten Raben. Der Wind war stärker geworden und die Raben tanzten wild auf und ab.

Voller Panik beobachtete ich die Vögel. Der Kopf des einen war schon halb aus der Schlinge geglitten. Bei jedem Windstoß konnte er ganz herausrutschen und auf mich geschleudert werden.

Mir war kalt. Ich machte die Augen zu und wartete. Es musste doch irgendwann zu Ende gehen. Bierdosen wurden geöffnet. Und dann ging die eigentliche »Taufe« los. Ein Schluck für den Tänzer, ein Bierschwall für mich. Von allen Seiten ergoß sich das Bier über mich. Dazu schrien sie: »Willkommen im Club!« Schon nach kurzer Zeit klebte alles an mir. Das Bier lief mir aus den Haaren über mein Gesicht und in mein T-Shirt. Und es stank! Der Wind wurde immer stärker, ich zitterte vor Kälte, vor Angst und vor Ekel.

Irgendwann war aber auch das vorbei. Die Feuer wurden gelöscht und ich durfte heraustreten. Jens reichte mir ein Handtuch und meinte: »Na, war es so schlimm? Jetzt gehörst du auch dazu.« Ich nickte, obwohl ich nicht mehr wusste, ob ich eigentlich dazugehören wollte. Als Jens mir dann eine Dose Bier in die Hand drückte, schleuderte ich sie mit aller Kraft den Berg hinunter. Mein Leben lang würde ich kein Bier mehr riechen können. Ich hatte nur einen Wunsch: zurück ins Camp, eine heiße Dusche und das Ganze möglichst schnell vergessen.

Aber mit diesem Wunsch stand ich so ziemlich alleine da. Für die anderen hatte die Nacht gerade erst angefangen. Wir zogen vom Berg hinunter, allerdings nicht Richtung Camp, sondern durch Farne und dichtes Gras, über Baumwurzeln immer tiefer in den Wald hinein. Der Mond war inzwischen aufgegangen und warf unheimliche Schatten auf die entwurzelten Bäume, die am Wegesrand lagen.

Auf einmal standen wir auf einer kleinen Lichtung vor einem alten Jaegerhuset mit windschiefem Schornstein. Das Haus war offenbar seit langem unbewohnt. Die Fenster waren total verstaubt und mit Spinnweben überzogen.

Die anderen mussten schon öfter hier gewesen sein. Sie stießen die Holztür auf und zerrissen mit ihren Armen die Spinnfäden, in die das ganze Haus eingesponnen schien. Innen gab es einen großen Raum mit einem Holztisch in der Mitte, rundherum standen eine Bank und mehrere klapprige Stühle. Als wir uns setzen wollten, raschelte es in der Ecke und eine ganze Mäusefamilie huschte quiekend an uns vorbei durch die Haustür nach draußen. Spinnen und Mäuse, würde dieser schreckliche Abend denn überhaupt kein Ende nehmen? Am lautesten aber quiekte Swantje, die beim Anblick der Mäuse in Panik auf einen Stuhl gesprungen war und hysterisch zu kreischen anfing. Als Jens sie dann anfauchte: »Nun stell dich nicht so an, es gibt bestimmt noch mehr Mäuse in diesem Haus. Die anderen kreischen doch auch nicht«, fühlte ich mich schon wohler. Wenn ich nur meine dicke Strickjacke mitgenommen hätte.

Alle setzten sich und die Kornflasche kreiste erneut. Dann kam Pete, der die klapprige Holztreppe zum Dachboden erkundet hatte, mit einer alten Zeitung wieder herunter. Es war so ein Touristenblatt, wie man es in jedem Supermarkt auf Bornholm bekommt. In mehreren Sprachen gibt es da die neuesten Infos über Veranstaltungen. Er ging zum Fenster und las im Mondlicht.

»Hört mal alle her. Hier steht: In diesem Jahr ist es wieder so weit. Der Kobold vom Laeso-Fluss verlangt wie alle sieben Jahre nach einem Menschenopfer. Einladung zu einem Diavortrag über Kobolde und Trolle auf Bornholm. Und jetzt kommt es.« Er machte eine Pause. »Die Zeitung ist sieben Jahre alt. Na, wisst ihr, was das bedeutet?«

Gespannte Stille.

»Hey!«, schrie Swantje, die sich von dem Mäuseschreck erholt hatte, begeistert. »Dann wäre jetzt ja wieder Koboldjahr. Wer soll denn das Opfer sein?«

Ich glaube, sie waren alle schon ziemlich betrunken, als sie die Idee hatten, zu losen, wer in dieser Nacht das Menschenopfer sein sollte.

In die Mitte vom Tisch wurde eine leere Kornflasche gelegt. Jeder durfte einmal die Flasche drehen, die sich erst schnell, dann immer langsamer bewegte, bis sie schließlich liegen blieb. Derjenige, auf den die Flasche dann zeigte, schied aus. Wer am Ende übrig blieb, sollte in den Fluss geworfen werden. Nicht nur mir war unheimlich. Auch in Annas Augen sah ich die Angst. Selbst Bernd schien sich nicht wohl zu fühlen, betäubte seine Angst aber mit riesigen Schlucken aus der Kornflasche. Wenn ich aufgestanden wäre, ob Anna und Bernd mitgekommen wären? Ich sah Anna an, zeigte mit dem Kopf auf die Tür, aber sie schaute weg. Wir blieben sitzen wie angeklebt.

Während diejenigen, die bereits ausgeschieden waren, vor Erleichterung lachten und durcheinander schrien, wurde der Rest der Gruppe, der noch im Spiel war, immer stiller. Anna drehte vor lauter Aufregung die Flasche so heftig, dass sie zu Boden fiel und zersplitterte. Aber natürlich hatten wir reichlich Ersatz an leeren Schnapsflaschen.

Selbst Swantje, die das Spiel ja angeregt hatte, war mit den Nerven so fertig, dass sie in Tränen ausbrach, als die Flasche vor ihr liegen blieb und sie ausscheiden durfte.

Bei mir steigerte sich die Angst langsam zur Panik. Schon als der Kobold vom Laeso-Fluss erwähnt wurde, hatte ich ein ungutes Gefühl. Wenn ich die Augen zumachte, sah ich die alte Lena vor mir. Sie hob den Finger und rief: »Der Kobold vergisst nie. Hab ich dich nicht gewarnt?«

Bernd und ich waren die beiden Letzten im Spiel. Er drehte die Flasche und zog seine Hand so schnell zurück, als habe er sich verbrannt. Wie hypnotisiert starrten alle die sich immer langsamer drehende Flasche an.

Ich denke, ich hatte von Anfang an keine Chance. Als die Flasche sich das erste Mal drehte, wusste ich, dass es mich treffen würde.

Und so kam es dann auch. Als die Flasche mit dem Hals in Bernds Richtung endlich liegen blieb, herrschte für einen Moment Totenstille. Dann aber begann ein Höllenlärm. Alle schrien, lachten, hüpften herum, nur ich saß da, als würde mich das nichts mehr angehen.

Alles, was in den nächsten Stunden passierte, habe ich nur noch als Nebel in Erinnerung. Unter großem Gegröle nahmen sie mich in ihre Mitte, als hätten sie Angst, ich würde davonlaufen. Dazu aber hatte ich keine Kraft mehr. Ich war wie gelähmt und inzwischen außerdem vor Kälte fast steifgefroren. Wir brachen auf. Über den Weg kann ich nichts sagen. Ich erinnere mich nicht mehr. Wir sind irgendwie zum Camp zurückgelangt, haben die Autos geholt. Ich hab noch nie so sehr auf eine Polizeistreife gehofft. Aber die Polizisten waren wohl schon alle schlafen gegangen. Wenn Björn doch nur im Straßengraben gelandet wäre! Ich weiß nicht, wie viel er getrunken hatte, aber er schaffte es immer noch, auf der Straße zu bleiben.

Irgendwie kamen wir zum Fluss. Sie stellten das Auto an der Straße ab und zogen singend über den Feldweg. Wir mussten ganz in der Nähe von Bauer Rasmussen sein. Ich hatte zwar den Verlauf des Flusses nicht völlig im Kopf, aber er führte durch ein Moorgebiet, und es gibt nicht viele Stellen, von denen aus man direkt ans Ufer kommen kann, ohne im Moor zu versinken.

Da war er auch schon. Das Wasser schimmerte tiefschwarz. An einigen Stellen gluckste es oder hab ich mir das in meiner Angst nur eingebildet? Fest stand, wer einmal richtig darin versank, würde so schnell nicht wieder hochkommen. Die anderen lachten, als Björn sich am Ufer aufbaute und grölte: »Hey, Kobold. Wir kommen. Sieh mal, was wir dir mitbringen. Schönes, zartes Menschenfleisch!«

Seine Schreie zerrissen den Nebel in meinem Kopf. Da ich bisher wie betäubt mitgegangen war, rechnete wohl keiner mehr mit einem Ausreißversuch. Ich konnte mich losreißen und rannte durch das Gebüsch am Ufer entlang. Empörte Schreie. »Fangt sie! Da drüben läuft sie.«

Dann geriet ich mit dem Fuß in ein Erdloch, knickte um und fiel in den Fluss. Die anderen kamen näher. Ich hörte ihr Rufen, ärgerliche, laute Stimmen. Dann fing ein Hund an zu bellen. Jemand rief: »Bloß weg hier!«

Ich strampelte und schlug verzweifelt um mich, weil ich merkte, wie ich langsam tiefer gezogen wurde. Etwas legte sich um meinen Fuß. Eine Schlingpflanze? Ein Seil! Der Kobold! Ich schrie, so laut ich konnte. Dabei geriet ich mit dem Kopf unter Wasser, schluckte und schluckte. Etwas platschte neben mir ins Wasser. Ein großer Kopf tauchte über mir auf. Große Augen, wirre Haare, eine Schnauze ... Der Rest war Dunkelheit.

Im Krankenhaus wachte ich wieder auf. Dort erzählten sie mir, dass ein Mann mich aus dem Wasser gezogen hätte. Sein Hund hatte ihn aufgeweckt und zu der Stelle geführt, an der ich in den Fluss gefallen war.

Und jetzt liege ich hier in Decken gehüllt im Garten bei Bauer Rasmussen und halte mein Gesicht in die Sonne. Gestern hat der Bauer mich vom Krankenhaus geholt. Er hat mit dem Jugendleiter abgesprochen, dass ich für den Rest der Ferien auf dem Bauernhof bleibe – unter strenger Aufsicht. Beide sind ziemlich sauer auf mich, vor allem der Jugendleiter.

Vom Krankenhaus fuhren wir zum Campingplatz, um meine Sachen abzuholen. Überrascht hat es mich nicht mehr, als ich dort, wo die Zelte von Jens und seinen Freunden gestanden waren, ganz andere Leute vorfand. An der Rezeption sagte man uns, die Gruppe sei ganz plötzlich abgereist. Man überreichte mir mein Zelt, den Rucksack und den Schlafsack, alles sorgfältig zusammengefaltet.

Sie hatten sich abgesetzt und ich war nicht mal traurig darüber.

Werner J. Egli

Haida Gwaii – Insel meines Vaters

Vermisst habe ich ihn eigentlich nie. Nur hin und wieder hätte ich ganz gern gewusst, wer er war. Wie er aussah, zum Beispiel. Wie Clint Eastwood in seinen besten Jahren oder wie Freds Vater, der im Haus nebenan wohnt, klein und dicklich und in einer schlotterigen Hose steckend, die ihm immer über den blassen Hintern herunterrutscht, wenn er sich bückt und in seinem Garten Unkraut jätet. Einmal, als ich etwa sechs war, fragte ich Pat, ob sie vielleicht wüsste, wer mein Vater war. Pat ist nämlich meine Mutter, und wenn es jemand wissen müsste, dann sie. Damals, ich erinnere mich noch haargenau, sah sie mich ganz besonders liebevoll an. »Coby«, sagte sie, »Coby, dein Vater lebt auf der Insel und eines Tages, wenn du alt genug dafür bist, wirst du ihn kennen lernen.«

Seitdem ist eine Ewigkeit vergangen. Sieben Jahre. Pat ist immer noch meine Mutter. Pat, für Patricia, natürlich. Und Vater habe ich immer noch keinen. Einige Male gab es beinahe einen, der passte, aber entweder hatte Pat ihre Bedenken oder ich hatte die meinen, und im Laufe der Zeit merkten wir zwangsläufig, dass unser Familienleben eigentlich ohne einen auf die Dauer besser funktionierte und sich angenehmer gestalten ließ, weil uns eben keiner dreinredete.

Ich weiß nicht, wie es kam, aber eines Tages, irgendwann kurz vor den großen Sommerferien, kam Pat von ihrer Arbeit – sie ist Buchhalterin bei einem Autohändler – nach Hause und sagte, dass ich nun alt genug wäre.

»Wofür?«, fragte ich.

»Für deinen Vater.«

»Uh«, machte ich, nicht nur weil sie mich mit ihrer Offenbarung überraschte, sondern weil ich im gleichen Moment durchs Fenster mit ansehen musste, wie Freds Vater sich in seiner Schlotterhose im Radieschenbeet bückte.

Gemischte Gefühle nennt man das wohl, was ich auf der Überfahrt verspüre. Ich stehe trotz Regen und Wind an Deck der Fähre, vom großen Zittern heimgesucht. Sechs Stunden dauert es, bis die Insel in Sicht kommt. Außer mir sind nur Touristen an Bord. Leute, die sich ihren Urlaub gern verregnen lassen und in gelben Gummianzügen herumlaufen wollen. Die Insel ist weltbekannt dafür, dass es jeden Tag regnet, dreihundertfünfundsechzig Tage im Jahr, manchmal ein bisschen mehr, manchmal ein bisschen weniger. Und natürlich für die Totempfähle der Haida-Indianer. Sonst gibt es dort nichts. Nicht einmal ein Kino, glaube ich, und auch keinen McDonald's. Schon allein deshalb kann ich also nicht ernsthaft behaupten, dass ich wild darauf gewesen wäre, dort ein paar meiner wertvollen Ferientage zu verbringen, ganz zu schweigen von mehreren Wochen, ohne meinen Freund Fred Harper, der mit seinem kleinen dicklichen Vater und seiner langen dürren Mutter einen Supersommerferientrip nach Kalifornien macht, um sich dort an der Beach von L. A. mal ein bisschen umzutun.

Mein Vater, von dem ich noch nicht einmal ein Foto gesehen habe, soll mich in Skidegate abholen. Dort kommt nämlich die Fähre an. Skidegate sieht man schon von weitem. Ein Dutzend Häuser. Bunte Holzhütten am Felsrand. Ein grauer Flugzeughangar aus dem Zweiten

Weltkrieg. Dahinter Wälder. Dunkler, nasser Regenwald im nassen Grau. Berge, die in den Wolken verschwinden, kleine, dem Ufer vorgelagerte Inseln im Nebel. Schwarzes Ufergeröll, an dem irgendwelches Seekraut hängt, bernsteingelb und grün. Misty Islands nennt man die Insel, die eigentlich aus einer Gruppe von Inseln mit dem offiziellen Namen Queen Charlotte Islands besteht. Nebelverhangene Inseln.

Die Fähre legt an. Die Touristen hasten über den Steg. Der Bug öffnet sich. Unten, aus dem Bauch der Fähre, tauchen Autos auf. Etwa dreißig Stück. Oder mehr. Wohnmobile. Auf dem Parkplatz warten die, die aufs Festland zurück wollen. Und die, die jemanden abholen. Mein Vater.

Pat hat ihn angerufen. Mein Junge will sich mal auf deiner Insel umtun, hat sie zu ihm gesagt. Nicht, dass ich sein Sohn bin. Das ist meine Sache. Schau ihn dir erst einmal an. Verbring ein paar Tage mit ihm. Dann entscheidest du selbst, ob du es ihm sagen willst oder nicht. Denk nur immer daran, dass er einer ist, der keine Familie braucht. Er will frei sein. Ein Adler. Das ist sein Zeichen. Der Adler.

Der Adler! Lieber Gott, so was von dösig. Zum Glück war er ein Haida und nicht ein Weißer. Geboren im Zeichen des Adlers. Ich hätte da schon fast laut brüllen können.

»Coby.«

Ich wirble herum. Und da steht er. Mein Vater. Der Adler! Wie ein Indianer sieht er nicht aus. Eher wie Errol Flynn in einem alten Hollywood-Piratenfilm, mit strichgeradem Schnurrbärtchen und allem. Unwillkürlich fällt mir da der weiße Hintern von Freds Vater im Radieschenbeet ein. Was für ein Prachtexemplar von einem Mann,

30

denke ich. Dass meine Mutter damals mit ihm geschlafen hat, ist wirklich kein Wunder. Er lacht mit blitzenden Zähnen. Seine Augen lachen mit. »Ziemlich ruppige See, eh? Manchmal wird sogar mir übel davon.«

»Mir ist nicht übel«, gebe ich zurück. »Ich weiß nur nicht, was ich hier soll.«

»Deine Mutter sagt, dass du eine Landratte bist und keine Ahnung von nichts hast. Deshalb bist du hier, Kid, auf meiner Insel.«

So, wie er es sagt, ist es seine Insel. Er ist ihr Besitzer. Der König. Der Herrscher über ein nasses, trübes Reich, das man vor lauter Regennebel nicht mehr sehen kann, wenn man die Augen ein bisschen zukneift.

»He, Monty, was tust du hier unten im Süden?« Die Frage kommt von schräg hinten. Ich drehe mich um. Da sitzt einer in einem verrosteten Pontiac. Ein richtiger Indianer. Mit einem Pferdeschwanz, der unter seiner Strickmütze hervorlugt. Und einer zerschlissenen Armeejacke.

»Der Junge hier bleibt ein paar Wochen«, antwortet mein Vater. »Einer von deinen?« Der Mann grinst.

Mein Vater lacht, stellt sich neben mich und legt einen Arm um meine Schultern.

»Was meinst du, Randy?«

Sie lachen beide. Der Mann spöttelt, dass ich dazu nicht hässlich genug sei. Dann fährt er davon. Und wir fahren auf der einzigen geteerten Straße nach Norden. Durch Skidegate. Es ist ein Haida-Dorf. Auf einem riesigen Totempfahl, ganz zuoberst auf einem Walschwanz, sitzt ein Seeadler im Nieselregen.

»Der sitzt immer dort«, sagt mein Vater. »Für die Touristen.«

»Welche Touristen?«

Die Insel scheint verlassen. Ein riesiges Monster muss alle Menschen weggejagt haben. Bis auf meinen Vater und mich.

Wir fahren durch den Wald durch ein Nest, das Port Clements heißt. Und weiter durch den Wald. Jungwald. In den letzten zwanzig oder dreißig Jahren frisch aufgeforstet.

»Einmal war hier Urwald«, sagt mein Vater. Er zweigt von der Straße ab und wir fahren auf einem aufgeweichten Dreckstreifen weiter. Durch den Wald. Dem Gefühl nach westwärts. Aber mein Vater wohnt an der Nordküste. Zwischen dort und Alaska gibt es nichts mehr. Wir halten an und gehen auf einem schmalen Pfad durch den Wald. Ich bin schon jetzt bis auf die Knochen nass. Mir ist kalt. Meine Tennisschuhe sind nass vom Sumpfdreck, der an ihnen hängen bleibt. Alles riecht nach Moder.

»Wohin gehen wir?«, rufe ich nach vorn und versuche dabei, ihn nicht zu verlieren.

»Zu den Kanus«, sagt er. Und dann völlig überraschend: »Deine Mutter ist Klasse. Manchmal denke ich, wir hätten zusammenbleiben sollen.«

»Warum seid ihr nicht zusammengeblieben?«

»Sie war kein Seemensch, verstehst du. Kein Inselmensch. Am Anfang dachte ich, sie mag die Insel. Den Regen. Das Meer. Ich glaube, sie mochte das alles, Kid. Am Anfang. Aber das genügt nicht, verstehst du. Ich war dumm zu glauben, dass es genügen würde. Es war mein Fehler. Sie verließ die Insel. Es regnete nicht, als sie ging. Ich fuhr sie nach Skidegate und sie nahm die Fähre. Einfach so.« Er lacht. »Siehst du das Loch dort drüben? Das ist ein Prüfloch. Dort haben sie geprüft, ob der Baum zum Bau eines Kanus was taugt oder nicht.«

Ich sehe das Loch. Jemand muss es mit der Axt in den

Stamm eines riesigen Baumes geschlagen haben, der dann etwa in Mannshöhe gefällt worden ist. Wir gehen an dem Baumstrunk vorbei und kommen zu einem Platz, wo ein Baumriese einfach daliegt, an der Stelle, an der er gefällt worden ist, mitten im Farnkraut und im Gestrüpp und im Jungwald, ein grauer blanker Stamm, oben der Länge nach abgeflacht und an einem Ende zu einem senkrechten Keil gehauen.

»Meine Vorfahren lebten hier, Kid. Die Haida. Lange bevor die Weißen kamen und anfingen, unsere Wälder abzuholzen. Damals waren die Bäume so hoch, dass sie mit ihren Spitzen die Wolken berührten. Dieser Stamm hier war einer von ihnen. Die Haida haben ihn gefällt, um ein Boot zu bauen, aber dann kam die Kunde aus ihrem Dorf im Norden, dass eine schlimme Krankheit ausgebrochen war. Die Bootsbauer eilten nach Hause, und als sie dort ankamen, waren die meisten Leute krank und starben. Und auch sie wurden krank und starben. Deshalb ist dieser halbfertige Einbaum hier liegen geblieben.«

Wir setzen uns auf den Baumriesen und essen knallrote Hackberries von den Sträuchern und ich sehe mich im Wald um, in dem noch einige der alten Baumriesen stehen, von den Sturmwinden blank genagte Skelette. Der Schrei eines Adlers hallt durch den Wald. Ich halte nach ihm Ausschau, kann ihn aber nirgendwo sehen.

»Die Krankheit«, sage ich, »was war das für eine Krankheit?«

Er hebt die Schultern. »Was immer die Europäer eingeschleppt haben. Masern. Pocken. Blattern. Grippe. Die Haida verfügten über keine natürlichen Abwehrkräfte gegen diese Krankheiten. Deshalb starben sie wie die Fliegen.« Er lacht. »Aber einige sind zum Glück übrig geblieben, Kid, sonst wäre ich nicht hier mit dir.«

Ich sehe ihn von der Seite an. Er grinst und mir wird heiß und kalt gleichzeitig und ich kann ihm nicht länger in die Augen sehen. Da legt er seinen Arm um mich. »Stimmt's, Kid?«

»Ja.« Ich springe vom Stamm des Baumriesen und mache mich auf den Rückweg. Ich höre ihn hinter mir lachen, aber ich drehe mich nicht nach ihm um.

Sein Haus steht in Masset. Das ist ein Nest an der Nordküste, mit einem Fischerhafen. Sein Boot heißt »Haida Hunter«. Es ist das größte im Hafen. Blau und weiß. Mit voller Ausrüstung. Radar und allem Drum und Dran. Ein Berg Fischnetze und Bojen auf dem Vordeck. Eine Riesenwinde. Ein Fischbehälter aus Fiberglas im Rumpf. Zwölfzylinder-Dieselmotor. Alles ist frisch gestrichen. Nirgendwo Rost. Die anderen Boote sehen mitgenommen aus. Nicht die »Haida Hunter«. So, als wäre sie nie draußen gewesen. Schon gar nicht bei ruppiger See. Nur eine tiefe schrammenartige Beule am Bug fällt mir auf.

Wir gehen den Steg hinunter. Links und rechts sind Boote vertäut.

»Morgen um fünf geht's raus«, sagt mein Vater.

Auf allen anderen Booten wird gearbeitet. Ab sechs Uhr am Nachmittag des nächsten Tages ist der Fischfang für vierundzwanzig Stunden freigegeben. Alles ist gesetzlich geregelt. Alle halten sich an die Bestimmungen. So ist das, seit es zu viele Fischer und immer weniger Fische gibt. Einige der anderen Fischer blicken kurz von ihrer Arbeit auf, als wir vorbeigehen. Einige rufen meinem Vater was zu.

»He, Monty, was läuft?«

Blicke streifen mich, schätzen mich kurz ab. Ein Neuer in Montys Crew? Monty redet mit einem, der auf dem Steg steht. Sie lachen. Ich gehe weiter. Um auf die »Haida Hunter« zu gelangen, muss man vom Steg auf ein anderes Boot klettern und von diesem Boot auf das nächste und vom nächsten auf das Boot meines Vaters. Die beiden anderen Boote sind Krebsboote. Das mittlere gehört Montys Vater. Da stehen zwei und mustern mich.

»Das ist Coby«, sagt mein Vater.

»He, Kid«, sagt einer. Der andere sagt nichts. Er hebt den Deckel von einem Topf, der auf einem Gaskocher steht, fischt mit spitzen Fingern einen riesigen Krebs aus dem kochenden Wasser und lässt ihn auf eine Metallkiste plumpsen. Auf Vaters Boot scheint niemand zu sein. Wir steigen die Metallleiter zur Brücke hoch. Ich war noch nie auf einer Brücke. Mein Vater erklärt mir alles. Den Radar. Das Echolot. Die Seekarten.

»Komm, stell dich mal ans Ruder«, sagt er. Natürlich stell ich mich ans Ruder. Und wie. Die Boote im Hafen sind nun unter mir. Das Wasser schwarz mit den Wolken des Himmels drin und mit Dieselölschleiern. Dahinter der Pier. Einige Häuser im Regen. Pfosten, die aus grünem Schlamm ragen, wo bei Flut Wasser ist. Seeadler auf den Pfosten. Tote Fische. Tote Krebse. Mein Vater kramt unter seiner Koje in einem Durcheinander von Zeug. Schließlich bringt er eine Polaroidkamera zum Vorschein. Er setzt mir seine Mütze auf. Eine Kapitänsmütze nennt er das Ding, das mehr aussieht wie eine ganz ordinäre Basketballmütze. Er knipst mich am Ruder. Mit seiner Mütze. An seinem Platz. Dann gucken wir zusammen, wie sich das Bild entwickelt. Er lacht. »Kapitän Kid«, sagt er. Er klebt das Bild mit Tesa neben das Kurzwellenradio, sodass er es sieht, wenn er am Steuer steht. Ich bin längst dabei, die Leiter hinunterzuklettern, als mich seine Stimme einholt.

»He, Kid, wer ist eigentlich dein Vater?«

Ich klettere weiter. Zu hastig. Mein Fuß rutscht auf einer der eisernen Streben aus und ich knalle mit den Kniescheiben gegen Eisen. Beinahe kommen mir vor Schmerz die Tränen. Unten auf Deck steht ein Typ. Ein Indianer. Hager. Mit nacktem Oberkörper. Schlaf im Gesicht. Er heißt Danny und gehört zur Mannschaft. Wir haben ihn mit unserem Zirkus aus der Koje geholt.

»Danny ist nicht von der Insel«, sagt mein Vater. »Er ist ein Carrier-Indianer aus Prince George.«

»Ich mag nicht, wie meine Leute leben«, sagt Danny. Die beiden vom Krebsboot werfen uns je einen halben Krebs zu. Wir knacken die Schalen der Beine mit den Zähnen. Krebs schmeckt höllisch gut. Im Meerwasser gekocht. Einer zeigt mir seinen Ringfinger, von dem ein Stück fehlt.

»Dreihundert Pfund Druck entwickeln diese Viecher mit ihren Zangen«, sagt er.

Der andere lacht.

»Jim hat sich den Finger mit der Beißzange abgeklemmt, damit er was zu erzählen hat.«

»He, Monty, hast du dem Jungen schon erzählt, wie dein Kahn die Beule abgekriegt hat?«

»Erzähl's du ihm, Jim.« Mein Vater lacht. »Früher, bevor ich mein eigenes Boot hatte, waren wir auf dem gleichen Kahn, Jim und ich.« Mein Vater verschwindet unter Deck.

»Einmal kam ihm ein anderer Kahn in die Quere«, beginnt Jim zu erzählen. »Der fischte an einem Platz, der Monty zugewiesen war. Monty rammte den Kahn. Davon ist die Schramme am Bug.«

»Und nachdem er den Kahn gerammt hatte, gab's auf offener See eine Keilerei«, lacht der andere.

»Monty verprügelte den anderen nach Strich und Faden«, sagt Jim. »Weil's um 'ne Menge Kohle ging, eh.«

»Und weil mit Monty keiner Scheiß macht«, sagt der andere stolz. »So ist er. Alle ziehen vor ihm den Hut.«

»Ich möchte auf keinem anderen Kahn sein«, sagt Danny. »Monty ist wie ein Vater, verstehst du? Er ist für mich mehr wie ein Vater als mein richtiger Vater.«

Auf dem Steg kommt einer daher, klettert aufs erste Boot und dann aufs zweite. Sofort bricht das Chaos aus. Er schreit. Kommandiert die beiden herum. Jim springt in ein kleines Boot, das hinten festgemacht ist. »Bring den Kahn zum Gouvernment Pier!«, brüllt der Neue, der Montys Vater ist, frisch geschniegelt und mit weißem Matrosenpullover. Er sieht eher aus wie ein Friseur als ein Fischer. Jim, im kleinen Boot stehend, macht ein Tau los und will sich und das Boot abstoßen, aber Montys Vater brüllt ihn an, dass er zurück auf Deck kommen soll. Jim brüllt jetzt auch. Mein Vater gibt mir einen Wink und wir klettern über die Boote und gehen über den Steg zurück und über den Pier und zu ihm nach Hause.

»Alle sind fast mit ihren Vorbereitungen fertig, nur mein Alter nicht«, sagt er und grinst.

»Zieh deine Schuhe aus«, sagt er, bevor wir ins Haus gehen. »Ich bin verheiratet.«

Das ist er tatsächlich. Mit einer Klassefrau. Blond und blauäugig und weiß. Wie aus einem Modemagazin. Voll geschminkt und mit einer Figur, die meinen Blick immer wieder magisch anzieht.

»Das ist Charlene«, sagt er. »Meine Frau.«

»Du kommst spät, Monty. Das Essen ist kalt geworden.«

»Wir waren noch kurz auf dem Boot.«

»Da ist alles in Ordnung«, erwidert sie, als habe sie

persönlich alles im Griff. Und das hat sie. Später, auf dem Boot, kommandiert sie herum, als wäre sie der Kapitän. Und mein Vater nennt sie »Skipper«, wenn sie es nicht hört. Auch die Mannschaft nennt sie den Skipper. Heimlich, denn sie ist eigentlich nur für die Kombüse zuständig und dafür, dass immer genug zu essen auf dem Boot ist.

»Der Junge bleibt ein paar Wochen«, sagt mein Vater.

Sie nickt. Zeigt mir die Kammer, wo ich mein Zeug hinlegen und pennen kann, aber mein Vater sagt, dass er mir den Platz zeigen will, wo er sein Haus baut, und wir fahren sofort los. Auf dem Weg halten wir bei einer Kneipe und dort hängen sich uns Gary, Tim und Jürgen an, die zur Mannschaft gehören, und wir fahren an der Nordküste der Insel entlang durch einen Urwald. Von den Ästen der riesigen Bäume hängen Moospolster, die aussehen wie Fabeltiere mit langen fetten Schwänzen, und alles ist voll mit Moos und Farn wie in einem Märchenwald, und Monty sagt, dass der Wald voller Rehe ist und er mich auf die Jagd mitnehmen wird.

»Da sind auch Bären«, sagt Gary. »Schwarzbären. Größere als die auf dem Festland und die größten haben einen Buckel wie ein Grizzly.«

Wir fahren durch diesen dunklen Wald bis zu einer Bucht und einem Hügelbuckel, der ins Meer hinausragt und senkrecht zu einem Felsenriff abfällt, und es ist halb dunkel, als wir dort ankommen, aber trotzdem noch lange nicht Nacht, weil nämlich die Sonne weit draußen wie ein dunkelroter Feuerball über dem Meer im Dunst hängt, mit einem glühenden Wolkenband davor.

»Mann«, sagt Jürgen beinahe andächtig. Er bleibt stehen. »Schau dir das an, Junge. Ein wahres Wunder der Schöpfung ist das«, und dann beginnt er zu singen. Auf Deutsch. Irgendeine Arie aus einer Oper von Wagner.

»Ist das eine Stimme«, sagt mein Vater bewundernd. »Ist das eine Stimme.«

»Junge, du hättest ihn auf der ersten Fahrt erleben sollen, als endlich die Insel in Sicht kam«, sagt Gary. »Da kletterte er auf den Mast und sang, und dabei kamen ihm vor lauter Ehrfurcht die Tränen.« Jürgen ist aus Bremen. Mein Vater hat ihn in Vancouver angeheuert. Gary lebt auf einer kleinen Insel irgendwo an der kanadischen Küste. Die meiste Zeit ist er auf einem Boot. Auch im Winter. »Das mache ich, bis mein Körper nicht mehr mitmacht«, sagt er. »Dann habe ich genug Kohle auf die hohe Kante gelegt, dass ich den Rest meines Lebens auf meiner Insel verbringen kann.« Und Tim. Tim ist neu. Er hat in Thailand eine Mangoplantage und eine Frau und Kinder. »Sobald ich genug Kohle habe, gehe ich zurück«, sagt er.

Während Jürgen übers Meer zur untergehenden Sonne singt, gehen wir zwischen den nassen Felsen herum, waten durch kleine Tümpel, die das Meer zurückgelassen hat, und mein Vater sagt, dass es Zeit sei etwas zu essen, und er hebt eine Muschel vom Boden auf, begutachtet sie kurz, wirft sie weg und hebt eine andere auf, eine kleine leere Schale. Langsam dem Wasser entlanggehend, das Seetang und anderes Zeug anschwemmt, über eine flache nasse Sandbank, lässt er sich plötzlich auf die Knie nieder und beginnt heftig, die Muschel als Schaufel benutzend, zu graben. Nach kurzer Zeit hat er ein tiefes, sich mit Wasser füllendes Loch gegraben, in dem er eine dicke schwere Muschel zu fassen kriegt.

»Ich glaube, ich habe eine erwischt«, sagt er und tatsächlich gelingt es ihm die Muschel auszugraben. Er öffnet sie mit seinem Taschenmesser und wir essen sie, jeder von uns ein kleines Stück davon, und dann versuchen es Tim und Gary, aber sie erwischen keine, weil sich die Muscheln fluchtartig durch den Sand davonsaugen, sobald sie merken, dass man hinter ihnen her ist.

Wir essen die Muscheln, die mein Vater fängt, und wir trinken Heidelbeerwein aus einer Milchflasche aus Plastik, und Tim erzählt vom blauen Engel und ich denke zuerst, er redet von einer Sirene, aber dann stellt es sich heraus, dass ein blauer Engel ein Furz ist, der sich an der Flamme eines Feuerzeugs entzündet. Und Gary erzählt mir von seinen Abenteuern als Fischer und von seinem Mädchen in Vancouver. Während die beiden reden, spielt mein Vater, irgendwo allein im Dunkeln sitzend, leise auf der Mundharmonika einen Blues, und Gary sagt, dass er die ganze Zeit auf dem Boot nichts als Blues hören müsse und dass er eigentlich den Blues möge, seiner jedoch inzwischen beinahe überdrüssig geworden sei.

»Man kann nur soundsoviel Blues hören«, sagt er mir im Vertrauen und so, dass es mein Vater nicht hören kann. »Manchmal wünschte ich, Monty wäre mehr wie ein Kapitän als wie ein Freund. Man sollte nie für einen Freund arbeiten, Junge, aber das tu ich.«

Hinter uns, in der Bucht, auf einem grasbewachsenen Platz will mein Vater sein Haus bauen, und Gary und Tim und Danny wollen ihm dabei zur Hand gehen. Jürgen muss demnächst nach Deutschland zurück. Keinem sagt er, wieso. Rehe äsen jetzt dort, wo einmal das Haus stehen soll, zwischen dem Treibholz und den Bäumen, über denen der Mond aufgegangen ist. Und der Strand ist spiegelblank, mit einem Hauch von Abendrot zwischen uns und den weißen Wellenkämmen, die im Halbdunkel auftauchen und wieder verschwinden. Der Hügel ragt schwarz in den Himmel empor.

»Das Monster Tow hat dort einmal einem jungen Haida aufgelauert, um ihn zu töten«, sagt Tim. »Genau weiß ich die Geschichte nicht, aber für die Haida ist die Geschichte wichtig, glaube ich.«

»Frag deinen Vater, der kennt die Geschichte«, sagt Jürgen.

»Seinen Vater?« Gary schüttelt den Kopf. »Mann, Jürgen, wer sagt denn, dass Monty sein Vater ist?«

»Oh, entschuldige, Kid, ich dachte, Monty ist dein Vater.« Jürgen lacht verlegen auf. Er gibt mir einen Stein, den er zwischen all den Muschelsplittern gefunden hat. »Hier«, sagt er, »damit du dich an diesen Tag erinnerst.«

Der Stein ist gelb und beinahe durchsichtig.

»Ein Achat«, erklärt Tim. »Die ganze Bucht ist voll davon. Deshalb heißt sie Agate Beach.«

Irgendwann verstummt die Mundharmonika und mein Vater erscheint im Feuerschein und sagt, dass morgen Sonntag sei und er um elf in der Kirche sein wolle.

Wir legen uns in die Schlafsäcke. Es regnet nicht.

»Nacht, Kid«, sagt er.

»Nacht«, sage ich.

Jetzt bringt er mich zurück nach Skidegate, wo die Fähre wartet.

Meine Tage auf der Insel sind um. Zwei Wochen. Wie im Flug sind sie vergangen. Haida Gwaii, die Insel meines Vaters, ist mir vertraut geworden.

Wir legten bei sanfter See das Netz aus und holten es voller Fische wieder ein. Wenn über Nacht ein Sturm aufkam, suchten wir mit den anderen Booten in einer Bucht Schutz. Wir brachten unsere Ladungen durch die berüchtigte Hecate Strait nach Prince Rupert und machten eine Tonne Kohle.

Jürgen flog nach Deutschland zurück.

Tim nach Thailand.

Gary auf seine Insel.

Danny schläft in seiner Koje auf der »Haida Hunter«, die still im Hafen liegt.

Mein Vater zeigte mir seine Insel. Wir fuhren in seinem kleinen Boot bis hinunter zur Südspitze. Dort, vom Regenwald überwachsen, befindet sich ein verlassenes Haida-Dorf. »Hier leben die Geister, Kid«, sagte mein Vater, als wir vor den halb vermoderten, von Nebelschwaden umhüllten Totempfählen standen. Im Farn, unter einem mächtigen alten Baum, lagen Totenschädel. Die Haida waren einmal gefürchtete Krieger. Kopfjäger.

Wir fuhren bei hoher See hinaus zum Wrack der »Clarksdale«, die 1947 im Nebel auf ein Riff auflief und auseinander barst. Fünfzig Mann waren an Bord. Nur drei überlebten. Auf dem Rückweg wurde unser kleines Boot von haushohen Wellen gebeutelt und ich kam vor Angst beinahe um, aber mein Vater war bei mir und er kennt die See und seine Insel wie sonst keiner.

Und dann nahm er mich mit auf die Jagd und er ließ mich mit seinem Gewehr ein Reh erlegen, nachdem ich mich erst geweigert hatte eines zu schießen. Aber er erklärte mir, dass seine Insel dazu da sei die Menschen zu versorgen und dass alles ein natürlicher Kreislauf sei; das Fischen und Jagen, auch das Roden und Wiederaufforsten des Waldes, und schließlich schoss ich das Reh, auf hundert Meter und genau hinters Ohr, und wir waideten es aus und brachten es nach Hause, wo Charlene es stückweise in Plastik einwickelte und in der Kühltruhe verstaute.

»Das ist Cobys erstes Reh«, sagte er voller Stolz zu ihr und sie fragte, ob sie für uns Essen machen sollte, aber wir blieben nicht lang genug, weil uns die Zeit davonlief. Nicht einmal schlief ich in meinem Bett. Er auch nicht in seinem. Wir waren die meiste Zeit nass. Warum er Charlene geheiratet hat und sie ihn, weiß ich nicht. Ist mir auch egal. Ich weiß nur, dass es stimmt, was Pat sagt. Dass er keine Familie braucht. Dass er frei sein muss.

In einer Woche fängt die Schule an.

Wir fahren durch den Regen auf der einzigen geteerten Straße nach Skidegate.

»Kid, sag deiner Mutter, sie soll mich mal wieder anrufen«, sagt er plötzlich.

»Ja.« Irgendetwas beginnt mir die Kehle zuzuschnüren. Ich mag ihn, das ist klar. Er ist mein Vater und ich will es ihm sagen. Aber die Worte kommen mir nicht über die Lippen.

Er lacht.

»Weißt du, was ich denke, Kid«, sagt er, »ich denke, dass du mein Sohn sein könntest.«

Ich starre geradeaus durch die nasse Scheibe. Die Scheibenwischer machen ein leises rhythmisches Geräusch. Man könnte den Blues dazu spielen.

Da sehe ich den Adler vor uns. Direkt vor uns und über der Straße fliegt er, als wolle er uns den Weg zeigen. Seine Schwingen wippen auf und ab und die Federn an seinem Stoß sind gespreizt und da löst sich eine von ihnen und fällt, sich wie ein Kreisel drehend, durch den Regen.

Mein Vater bremst.

»Die ist für dich, Kid«, sagt er und er hält an und geht dorthin, wo die Feder schneeweiß auf dem nassen Asphalt liegt. Er hebt sie vom Boden auf, fährt mit ihr sachte über den Ärmel seines Hemdes und grinst mich aus dem Regen heraus an.

»Die ist für dich«, sagt er noch einmal, als er eingestiegen ist. Er gibt mir die Feder. Sie ist schneeweiß und trocken. »Einmal«, sagt mein Vater, »kehrst du auf meine

Insel zurück, Kid.« Er lacht. »Der Adler hätte dir sonst keine seiner Federn gegeben.«

Ich drehe den Kopf und sehe durchs Seitenfenster hinaus aufs Meer, damit er meine Tränen nicht sehen kann. Auf dem Rest der Fahrt erzählt er mir, dass seine Vorfahren dem Adler-Clan angehörten und was das damals bedeutete. Ich höre ihm nur mit halbem Ohr zu.

In Skidegate wartet die Fähre. Touristen stehen im Regen.

Es ist elf Uhr in der Nacht und beinahe dunkel.

Die Fähre fährt ein Stück die Küste entlang. Vergebens halte ich nach dem Auto meines Vaters Ausschau. Es beginnt nun heftiger zu regnen und die Umrisse der Insel verlieren sich.

Ich bleibe im Regen stehen, bis ich die wenigen Lichter von Skidegate nicht mehr sehen kann. Dann gehe ich hinein, wo es warm ist, und ich mache die Adlerfeder mit einer Schnur an meinem Rucksack fest.

Carna Zacharias

Der Wunschgarten

In meiner Kindheit fuhr ich jedes Jahr in den Sommerferien nach Thüringen, zu meiner Großmutter.

Meine Tante, die mit ihr lebte, holte mich stets in Pößneck mit dem Fahrrad vom Oberen Bahnhof ab. Langsam, den Koffer mühsam auf dem Gepäckträger im Gleichgewicht haltend, holperten wir auf dem Kopfsteinpflaster die steile Straße hinab und ich sog mit einer Mischung aus Abscheu und Lust am Wiedererkennen die graue, staubige Luft ein.

Unser Haus, das heißt, das Haus, in dem meine Großmutter wohnte, lag an einem Hang. Das riesige, abfallende Grundstück war von zwei Straßen aus zu erreichen. Gewöhnlich betrat man es von oben, doch vom Bahnhof kommend nahm man den unteren Eingang.

Jahr für Jahr, sobald sich das schwarze eiserne Gartentor quietschend geöffnet hatte, trat ich in mein wahres Ferienland ein.

Knirschend arbeitete sich das Fahrrad einen Kiesweg empor, der von einem hohen, dichten Farnwald fast völlig überwuchert war. Dahinter, das wusste ich, lag der kleine, versumpfte Teich, über dem an manchen Tagen schwarze Mückenwolken standen. Und dort, jenseits der Wäscheleine, für die immer wieder mit der Sichel ein Stück Wiese freigekämpft werden musste, war der zerbrochene Brunnen. Tief und hohl und ohne Hoffnung auf Wasser.

Und dann, plötzlich, vor dem Haus die Lichtung, das Kulturland: *unser Beet.*

Es war riesengroß und rund und es wuchsen eine Million verschiedener Blumen darin. Cosmea und Löwenmäulchen, Sonnenblumen und Vergissmeinnicht, Rosen und Dahlien. Die liebsten waren mir die gelben und orangefarbenen Ringelblumen. Während meine Tante das Fahrrad in den Keller schob, stellte sich meine Großmutter auf die oberste Stufe der steinernen Treppe und rief mit hoher, durchdringender Stimme: »Miezzizzizzizzizzizzii!« Dann kam die weiß-braune Katze von irgendwoher angelaufen und rieb sich an meinen Beinen.

Ich war wieder da.

Am späten Nachmittag, wenn es nicht mehr so heiß war, gingen meine Großmutter und ich immer eine kleine, steile Treppe hoch in den Gemüsegarten. Jeder Mieter hatte dort seine Beete und argwöhnisch stellte ich jedes Mal meine Vergleiche an. Waren hier die Gurken größer, wuchs dort die Petersilie üppiger, hingen bei Lachners mehr Stachelbeeren am Strauch?

Eins war sicher: Wir besaßen die prachtvollsten Tomaten. Prall, eher klein als groß, dazu von einer wunderbar goldroten Farbe, hatten sie ein Aroma, wie ich es später nie wieder gefunden habe. Meine Großmutter verwandte viel Mühe auf ihre Pflege. Rastlos schleppte ich schwere Kannen mit Wasser an, half ihr beim Hochbinden und bewunderte die stramm wie Soldaten dastehenden Stöcke.

Mit ein paar Früchten, einer Schüssel voll Gemüse und einem Kräuterstrauß verließen wir dann etwa eine Stunde später den Garten. Ich war stolz und schmutzig.

Mein größter Schatz war eine Puppenküche, die immer, bevor ich eintraf, in der Veranda aufgestellt wurde. Ich weiß nicht mehr, wann ich sie bekommen habe, ich kann mich an die Zeit davor nicht erinnern.

Es gab einen Herd mit winzigen blechernen Töpfen und

Pfannen, hölzerne Regale mit fingernagelgroßen Tellerchen und Becherchen, ein zigarettenschachtelgroßes Buffet mit Schubladen, die man sogar herausziehen konnte, dazu von einer Batterie gespeistes elektrisches Licht und einen Wasserhahn, der an einen kleinen Tank an der Außenseite des Hauses angeschlossen war. Niemand außer mir durfte in der Puppenküche etwas berühren.

Eines Tages gingen meine Großmutter und ich Menschen einkaufen.

Gleich hinter dem Marktplatz, die Straße runter, bei Frau Gerber. Sie war klein und dick und rot im Gesicht und schwitzte immerzu. Dazu sprach sie ein Thüringisch, das sich neben dem leichten Singsang meiner Großmutter harsch und ordinär ausnahm. Sie verkaufte Bälle und Kreisel, Farbstifte und Kartenspiele, grellbunte Puppenkleider aus harten Stoffen, kulleräugige, mit gespreizten Beinen dastehende Bambis und kleine Eisenbahnwagen. Und Menschen für Puppenhäuser.

Ich bekam eine Mutter, einen Vater und ein kleines Mädchen.

Sie hätte auch noch kleine Jungen, meinte Frau Gerber, und Babys und einen Großvater und eine ...

»Das wär's fürs Erste«, sagte meine Großmutter.

Zu Hause setzte ich meine Familie um den kleinen hölzernen Tisch in der Puppenküche. Jeder bekam einen Teller und einen Becher. Ich füllte ein Krüglein am Wasserhahn und stellte es in die Mitte des Tisches. Dann knipste ich das elektrische Licht an.

Da saßen sie und guckten vor sich hin.

Meine Tante brachte zwei Puppen-Liegestühle mit nach Hause. Ich setzte die Mutter und den Vater auf das umzäunte Dach in die Liegestühle, das Kind blieb in der Küche. Sie starrten stumm auf die weiß lackierte Fläche.

»Warum richtest du denn keinen richtigen Dachgarten ein, Renate?«, fragte meine Tante.

Abends las meine Großmutter mir vor. Ich lag im zweiten Ehebett, das seit dem Tod meines Großvaters leer stand, und sie saß auf dem Rand. *Nils Holgersson* in der Originallänge war mein Lieblingsbuch.

»Langweilen dich die vielen Landschaftsbeschreibungen auch nicht?«, fragte meine Großmutter.

Ich verstand überhaupt nicht, was sie meinte.

Jeden zweiten Tag machten wir, wenn es nicht regnete, einen Ausflug. Manchmal begleiteten wir meine Tante auf eines der umliegenden Dörfer, wo sie als Organistin arbeitete. Entweder gingen wir vom Haus aus zu Fuß los oder bestiegen einen der großen Busse, die im unteren Teil der Stadt losfuhren.

Meine Großmutter ging am liebsten in die Beeren. Himbeeren, Brombeeren, Blaubeeren, je nach Reifezeit. Sie nahm dann einen großen Eimer mit und ich bekam einen kleinen Becher. Ich zählte die vollen Becher sehr genau, denn wenn sie einmal in den großen Eimer gekippt worden waren, wusste ja niemand mehr, wie viel ich gepflückt hatte.

Hin und wieder besuchten wir auch nur Tante Walter zum Beerenpflücken, dazu stieg man eine endlos lange steile Treppe mitten in der Stadt hinauf. Ich verstand gar nicht, warum meine Großmutter immer wieder schwer atmend stehen blieb.

Tante Walter war sehr lieb und sprach viel von Gott. Sie hatte riesige schwarze Johannisbeeren im Garten, die meine Großmutter schätzte. Ich konnte sie nicht ausstehen und wollte die roten und vor allem die süßen weißen.

Abends gab es dann Johannisbeeren mit Milch.

»Die sind sehr gesund«, sagte meine Großmutter. »Besonders die schwarzen.«

Am liebsten fuhr ich an die Kuhteiche, denn dort konnte ich schwimmen. Die Ufer waren verschilft, bis auf die Stelle, an der man ins Wasser ging. Manchmal setzte ich mich nahe ans Schilf und beobachtete die Libellen.

Einmal sah ich eine Schlange und schrie.

»Das ist doch nur eine Blindschleiche«, sagte ein Mann, der angelaufen kam. »Du bist wohl ein Stadtkind.«

Ich brachte meiner Großmutter eine Badekappe voller Wasser, damit sie ihre Füße darin kühlen konnte, und dann packten wir die belegten Brote aus. Mit meiner Tante spielte ich Ringwerfen oder Federball. Wenn wir am späten Nachmittag zwischen den Weizenfeldern zurück zum Bus gingen, quakten die Frösche so laut, dass man beim Sprechen schreien musste.

Es war einmal ein armer Kohlenbrenner, der hieß Peter Munk. Weil er ein Sonntagskind war, hatte er bei dem guten Waldgeist Glasmännlein drei Wünsche frei. Er wünschte sich Ansehen, Macht und Geld. Doch das bekam ihm schlecht. In seiner Not schloss er mit dem bösen Waldgeist, dem Holländer-Michel, einen Pakt. Der versprach ihm ewigen Reichtum unter der Bedingung, dass Peter ihm sein weiches, empfindsames Herz gäbe und sich dafür eines aus Stein einsetzen ließe. Peter war zunächst sehr zufrieden mit diesem Handel. Das kalte Herz ließ ihn keine Sehnsucht, kein Leid spüren und er konnte in Ruhe seinen Geschäften nachgehen ...

Obwohl dieses Märchen im Schwarzwald spielt, sehe ich immer, wenn ich es lese, den Thüringer Wald vor mir. Die dunklen, hohen Tannen, die metallisch glänzende schwarze Saale, die sich tief unten durch eine Schlucht windet.

Bettelnd, quengelnd, fordernd brachte ich auf unseren Ausflügen meine Großmutter dazu, mir ununterbrochen Märchen und Sagen zu erzählen. Wenn sie keuchend die steilen Wege hinaufstieg, schob ich sie von hinten. Aber sie sagte, das würde auch nicht helfen.

Im Thüringer Wald, da war ich sicher, wohnten auch die Zwerge. Klug, listig, gewandt und immer auf der Hut. Entweder bewachten sie verborgene Schätze oder klopften mit kleinen Hämmerchen auf unentdeckte Erzadern. Natürlich konnte man sie nicht sehen, denn sie trugen ja Tarnkappen.

Meine Großmutter konnte alle deutschen Balladen auswendig aufsagen. *Zu Dionys, dem Tyrannen, schlich Damon, den Dolch im Gewande* und *Als Kaiser Rotbart lobesam zum heilgen Land gezogen kam* und *Ich hab es getragen sieben Jahr*. Grauen flößten mir *Die Füße im Feuer* ein. Ich stellte mir die unerträglichen Schmerzen dieser Frau vor, die züngelnden Flammen, das höhnische Grinsen des Mannes, das langsame, qualvolle Sterben. Aber meine Tante sagte, das sei doch nur ein Gedicht.

Feen fand ich langweilig. Nur die dreizehnte in Dornröschen interessierte mich. Es war aber auch eine zu dumme Ausrede des Königs, nur zwölf Feen zur Geburt seiner Tochter einzuladen, weil es angeblich nur zwölf Teller im Schloss gab. In so einem großen Schloss hatte man garantiert mehr Teller, außerdem hätte er sich ja welche leihen können. Die arme, arme Fee.

Wenn wir auf weichem Moosboden *laacherten*, wie meine Großmutter sagte, legte ich mich, nachdem ich die mitgebrachten belegten Brote hungrig verschlungen hatte, auf meine Jacke und döste in die sanft hin und her wiegenden Baumwipfel, in denen sich die Sonnenstrahlen verfingen, ein.

Waldesrauschen. Meine Großmutter liebte Eichen-
dorff. Irgendwo klopfte ein Specht, rief ein Kuckuck.

Einmal besuchten wir ein todkrankes Mädchen, das
mitten im Wald in einem kleinen Holzhaus im Bett lag.
Das Haus war von einem Meer blauer Lupinen umgeben,
die größer waren als ich. Das Mädchen war sehr blass und
sprach vom Sterben. Ich sah aus dem Fenster in das
wogende, himmlische Blau und beneidete sie. Meine
Großmutter las aus *Nils Holgersson* vor: »Als der Junge
aber schließlich doch hinuntersah, meinte er, unter sich
ein großes Tuch ausgebreitet zu sehen, das in eine un-
glaubliche Menge großer und kleiner Vierecke eingeteilt
war. Was ist denn das da unten für ein großes, gewürfeltes
Tuch? sagte der Junge vor sich hin, ohne von irgendeiner
Seite eine Antwort zu erwarten. Aber die Wildgänse um
ihn her riefen sogleich: Äcker und Wiesen! Äcker und
Wiesen!

Nun wusste ich, wie mein Dachgarten aussehen sollte.

Am nächsten Morgen stand ich ernüchtert vor der Puppenküche.

Die Fläche des Dachgartens reichte bei weitem nicht
aus, meine kühnen Vorstellungen zu verwirklichen.

»Warum nimmst du nicht ein bisschen Moos für die
Wiese und Schokoladenpapier als Fluss«, sagte meine
Tante.

Ich brach in Tränen aus.

Es wurde dann doch Moos und Schokoladenpapier.

Ich hatte das Moos von einem unserer Ausflüge mitge-
bracht, vorsichtig transportiert in einer dieser Popelinta-
schen mit Druckknopfverschluss, von denen meine Großmutter ein halbes Dutzend in den düstersten Farben besaß. Das Schokoladenpapier (nach jedem Paket von *drüben* sorgsam geglättet und aufbewahrt) wurde in Kringel

geschnitten. Ein bisschen Erde, eine Hand voll Kies dazwischengestreut, einige Blüten verteilt – und da war mein Dachgarten.

Ich stellte die beiden kleinen Liegestühle auf und setzte den Vater und die Mutter hinein. Aber was tun mit dem Kind? Auf dem Küchenstuhl thronte es viel zu hoch, auf dem Boden verschwand es im Moos. Schließlich platzierte ich es vorsichtig auf einen Kieselstein.

Da saßen sie, Arme und Beine weit von sich gestreckt, den Blick ins Nichts gerichtet.

»Jetzt kannst du schön mit ihnen spielen«, sagte meine Tante.

Guten Morgen, meine Liebe, sagte der Vater. Wie geht es dir heute?

Danke, sagte die Mutter. Mir geht es sehr gut. Und wie geht es dir?

Auch sehr gut, sagte der Vater.

Wie es wohl unserer Tochter geht? sagte die Mutter.

Mein Kind, wie geht es dir denn? sagte der Vater.

Danke, mir geht es sehr gut, sagte das Kind.

Einmal kam meine Mutter, die Malerin, von *drüben* zu Besuch.

Ich lebte in Hamburg bei meinem Vater, nicht bei ihr, wir sahen uns selten. Sie wusste nicht, was sie mit mir reden sollte.

Also malten wir zusammen. Dazu holten wir den Gartentisch aus dem Keller und stellten ihn vor dem großen Blumenbeet auf. Auf einem großen Tablett breitete meine Mutter ihre Pastellstifte aus, jede Farbe in zehn, zwölf Schattierungen.

»Ich male die Ringelblumen«, sagte ich.

»Versuch es erst mal mit dieser einen«, erwiderte meine Mutter, schnitt eine Blume ab und stellte sie in eine Vase.

Ich zog einen grünen Strich, nahm dann einen gelben Stift, zeichnete mit großen Bögen viele Blütenblätter auf mein Papier und füllte sie mit Farbe aus.

»Nicht so, Renate«, sagte meine Mutter. »Du malst nicht irgendeine Ringelblume, sondern genau diese da. Siehst du, wie sich hier zwei Blütenblätter übereinander schieben? Und wie dort der Rand dunkler ist, weil das Licht von dieser Seite kommt? Und hier, die feinen Härchen am Stängel? Du musst genau hinschauen, wenn du das allgemeine Wesen eines Objekts erfassen willst.«

Es ist die glücklichste Erinnerung, die ich an meine Mutter habe.

Nach ein paar Tagen war das Moos in meinem Dachgarten gelblich geworden, waren die Blütenblätter verwelkt. Das Kind war vom Stein gefallen und lag kopfüber im Schokoladenpapier-Fluss.

»Na, spielst du auch schön mit deiner Puppenküche?«, fragte meine Tante. »Was gibt es denn heute bei euch zu essen?«

»Rotkohl«, sagte ich. Meine Großmutter bereitete ihn gerade zu und der Duft zog durch die ganze Wohnung.

Ich setzte meine Familie in die Küche um den gedeckten Tisch und legte ein paar Schnipsel Kohl auf ihre Teller.

Du hast ja so wunderbar gekocht, sagte der Vater.

Danke, sagte die Mutter. Schmeckt es dir auch, mein liebes Kind?

Ja, Mutter, sagte das Kind. Es schmeckt sehr gut.

Du verwöhnst uns immer so, meine Liebe, sagte der Vater.

Aber das tue ich doch gerne für meine Familie, sagte die Mutter.

Ich tröpfelte etwas Wasser auf das Moos im Dachgarten, steckte frische Blüten hinein, setzte das Kind zurück auf den Stein.

Eines Nachts wachte ich auf von dem Ächzen und Knarzen, das das große Schlafzimmer erfüllte. »Das ist der Holzfußboden, Holz lebt«, sagte meine Großmutter, als ich einmal mit gesträubten Haaren aufrecht und wie erstarrt in meinem Bett saß. »Aber warum lebt das Holz nur nachts?«, hatte ich gefragt.

Langsam stand ich auf und tapste durch die Küche in die Veranda. Zwei grüne Augen glommen in der Dunkelheit auf, ich tastete in ihre Richtung: Miez.

Sie saß, behaglich schnurrend, mitten in meinem Dachgarten. Mit einem Aufschrei schubste ich sie herunter, sodass es einen harten Plumps auf dem Fußboden tat, und knipste das Licht an. Die Blüten waren zerdrückt, das Schokoladenpapier verrutscht, das Moos fleddrig. Vater und Mutter waren nach hinten von ihren Liegestühlen gekippt, hingen mit grotesk nach oben gestreckten Beinen halb in der Luft. Das Kind war nicht da.

»Wo ist euer Kind!«, schrie ich die Eltern an und fegte mit dem Arm die Reste des Dachgartens weg. Doch das Moos verfing sich im Zaun und so musste ich es wegklauben. Miez, inzwischen auf einem für sie verbotenen Seidenkissen ruhend, beobachtete mich ungerührt. Zum ersten Mal in meinem Leben konnte ich sie nicht ausstehen.

Ich riss die beiden Puppen hoch, schlug sie mit den Köpfen aneinander. »Wo ist euer Kind!«

Der Vater und die Mutter schwiegen, die leeren Blicke aufeinander gerichtet.

Ich sah mich um. Da lag das Kind auf dem Boden, Miez hatte es offenbar bei ihrem Sprung nach unten mit sich gerissen.

Ich hob es auf und betrachtete es zum ersten Mal ganz genau. Rote Bluse, weißer Rock mit blauer Zackenlitze und aufgemalte schwarze Lackschühchen. Im Gesicht ein roter Fleck, zwei blaue Flecke. Ein paar Strähnen blondes, aufgeklebtes Kunsthaar. Wie dumm. Wie hässlich.

Ich packte alle Puppen und schleuderte sie unters Sofa. Miez fuhr erschrocken hoch.

»Was ist denn mit deinem Dachgarten passiert?«, fragte meine Tante am nächsten Tag. »Und wo sind deine Puppen?«

»Weiß ich nicht«, sagte ich.

Nun war die Zeit gekommen, meinen wahren Dachgarten zu entwerfen. Ich setzte mich dazu auf die kleine Treppe, die zu den Gemüsebeeten führte, den Blick auf das rote Backsteingemäuer unseres Hauses geheftet.

Ein kleiner Feldweg, links ein Kornfeld, rechts eine Wiese. Hafer, Gerste, Roggen, Weizen in vollen Ähren, Kornblumen und Klatschmohn setzen blaue und rote Farbtupfer. Die Wiese mit Butterblumen und Spitzwegerich, Klee, Huflattich und Gräsern. Es summt und brummt, Pfauenaugen und Zitronenfalter, Bienen und Hummeln, Grashüpfer. Am Ende des Kornfelds kreuzt ein kleiner Bach den Weg, schlängelt sich weiter durch die Wiese. Über eine kleine Brücke gelangt man in einen lichten Birkenhain. Blickt man nach rechts, steht am Horizont ein dunkler Tannenwald, blickt man geradeaus, schaut man in die Berge. Grau und kantig ragen sie im Vordergrund auf, pflanzen sich in immer blasser werdendem Blau wellenartig nach hinten fort, bis sie mit dem Himmel verschmelzen. Dort, wo ein Wasserfall herabstürzt, macht der Weg eine Biegung nach rechts, und am Birkenhain vorbei, durch die Wiese, gelangt man an einen See. Dunkelblau und kreisrund liegt er da, kein Welle kräuselt das Wasser.

Hier hinein spricht man am Geburtstag der Mutter seinen Herzenswunsch und wirft ein güldenes Ringlein hinterher. Und wenn die Wasserfrau in diesem Augenblick träumt, vom Mond geküsst zu werden, erfüllt sie den Wunsch.

Immer wieder ging ich ins Haus und bettete meine innere Landschaft in den Dachgarten des Puppenhauses. Ich besserte ein bisschen hier, ein bisschen dort an den Proportionen herum, bis eines Tages alles passte, ganz genau. Als ich beim Hinausgehen vorsichtig über meine Schulter zurückblickte, landete gerade eine brummende Hummel auf der Wiese.

»Ich habe deine Familie gefunden, beim Saubermachen unterm Sofa in der Veranda«, sagte meine Tante. »Freust du dich?«

Ich wusste nicht, wo ich die Puppen hintun sollte. Sie lagen auf dem Tisch herum, auf dem Bücherregal, im Sessel. Fast hätte meine Großmutter sich draufgesetzt. So platzierte meine Tante die Eltern in ihre Liegestühle, legte das Kind zwischen sie.

Ich fegte sie vom Dachgarten, den ich nun jeden Tag mit einem feuchten Lappen sauber wischte, damit die weiße Lackfläche glänzte. Hier, bei der kleinen Luftblase, die beim Streichen entstanden war, lag der See. Und dort, wo man die Spuren eines Pinselstrichs sah, kam der Wasserfall herab. Und an diesem helleren Fleck da war die Brücke über dem Bach.

Schließlich setzte ich die Puppen nach unten in die Küche.

Was für einen Fraß hast du denn heute gekocht, sagte der Vater.

Das schmeckt ja wie Pferdepisse, sagte das Kind.

Noch ein Wort und ich schlage euch tot, sagte die Mutter.

In der Nacht zum 17. August, dem Geburtstag meiner Mutter, schlich ich in die Veranda zur Puppenküche. Ja, da war mein Dachgarten, genauso, wie ich ihn mir vorgestellt hatte. Leise rauschten die Kornähren im Wind, als ich den Feldweg entlangging, das Bächlein plätscherte beim Überqueren der Brücke und da hörte ich auch schon das Tosen des Wasserfalls. Ich folgte der Biegung des Weges und dann stand ich vor dem dunklen, in der Nacht fast schwarzen See. Totenstille breitete sich aus.

Ich nahm den goldenen Ring, den ich aus einem Kaugummiautomaten gezogen hatte, und wünschte mir eine richtige Familie.

Zum Totlachen, höhnte der Vater.

So was kriegst du doch nie, nie, nie, schrie das Kind.

Ich habe keine Tochter, sagte die Mutter.

Mein Ring fiel zu Boden.

Am nächsten Tag nahm ich die Puppen, ging in den Garten, ganz nach unten, hinter die Wäscheleine, dort, wo der ausgetrocknete Brunnen war. Ich warf sie hinein, den Vater, die Mutter und das Kind. Sie verschwanden lautlos im Dunkel.

Einige Jahre später trug ich bei meiner sommerlichen Reise nach Thüringen einen Büstenhalter, cremefarbene, knöchelhohe Cordschuhe und Jeans. Meine Tante holte mich wie immer in Pößneck vom Oberen Bahnhof ab und ich wurde auf der Straße angestarrt. Das gefiel mir, auch wenn es nur wegen der Jeans war.

Das Haar meiner Großmutter war weiß geworden und meine Tante hatte Falten um den Mund. Miez war davongelaufen oder gestorben, ich interessierte mich in dieser Zeit nicht übermäßig für Katzen. *Unser Beet* war noch immer da, doch ich stöhnte jetzt unwillig, wenn meine Großmutter mich bat, die Cosmea und Löwenmäulchen, Sonnenblumen und Vergissmeinnicht, Rosen und Dahlien zu gießen. Ich interessierte mich in dieser Zeit auch nicht übermäßig für Blumen.

»Wer ist der Junge, der nebenan wohnt?«, fragte ich eine Woche nach meiner Ankunft.

Meine Tante sah mich verwundert an. »Der Wolfgang, den kennst du doch.«

Ich hielt mich den ganzen Tag lang am oberen Gartentor auf.

»Wie geht's denn so«, fragte Wolfgang, als er am späten Nachmittag müde und verschwitzt von der Arbeit kam. Er arbeitete in einer Textilfabrik.

»Es geht so«, sagte ich.

Er starrte meine Jeans an.

Ich starrte seine Aktentasche an.

Sie war aus narbigem, dunkelbraunem Leder, abgeschabt und ausgebeult und hatte zwei riesige Messingschlösser.

In der Schule würden sie tot umfallen vor Neid, wenn ich mit so einer Schultasche daherkäme. Ich musste sie haben.

»Nette Tasche«, sagte ich gleichgültig.

Wolfgang sah irritiert an sich herunter.

»Die? Hab ich von meinem Vater. Scheußliches Ding.«

»Na ja, was Besonderes ist sie nicht.«

Wir schwiegen. Wolfgang strich sich die dunklen, strähnigen Haare aus dem Gesicht. Er war dünn, mit Muskeln. Aber vor allem hatte er diese Tasche.

Ich lehnte mich über das Tor.

»Ich würd dir meine Jeans dafür geben, aber sie passen dir nicht.«

Er riss die Augen auf. »Die Jeans? Bist du verrückt?«

»Ich hab noch eine mit. Und ich kann mir zu Hause eine neue ...«

Ich biss mir auf die Lippen.

Er sah mich ungerührt an. »In Ordnung. Ich kann die Jeans verkaufen. Morgen um die gleiche Zeit, hier.«

Am nächsten Tag wartete ich, die in Zeitungspapier eingewickelte Jeans unterm Arm, eine volle Stunde lang am Gartentor auf ihn. Er kam nicht. Am nächsten Tag auch nicht. Und am übernächsten auch nicht.

»Wisst ihr, was mit dem Wolfgang los ist?«, fragte ich am Abendbrottisch beiläufig meine Großmutter und meine Tante. »Man sieht ihn gar nicht mehr.«

»Der hat sich verlobt, mit Elke Guttmann«, sagte meine Tante. »Die Bäckerstochter, so eine Energische, kennst du doch.«

Ich knallte das Saftglas, das ich in der Hand hielt, so hart auf den Tisch, dass meine Großmutter einen kleinen Schrei ausstieß.

Zum letzten Mal – aber das wusste ich damals natürlich noch nicht – fuhr ich ein Jahr vor dem Tod meiner Großmutter nach Thüringen. Ich hatte im Frühjahr Abitur gemacht, einige Wochen lang gejobt und wartete nun auf den Beginn meines Studiums, Englisch und Geologie. Alles war in die Wege geleitet, alles geregelt, und ich hatte, außer mich »zu erholen«, wie mein Vater sagte, eigentlich nichts zu tun.

Nichts, außer ununterbrochen an Niels zu denken.

Ich fragte mich damals oft, warum man sich ausgerechnet in *diesen* Jungen verliebt und nicht in einen anderen. Sicher, Niels sah nicht schlecht aus mit seinen weizenblonden zotteligen Haaren (das war damals Mode) und er spielte Tischtennis wie kein anderer in unserer Schule. Vielleicht war es sein koboldhaftes Grinsen? Oder ganz einfach die Tatsache, dass er so lieb war: Er ging mit seiner kleinen Schwester zur Schule, ohne sich dafür zu genieren.

Er trat vorsichtig über eine Raupe hinweg, die über den Schulhof kroch. Er schaute den Mädchen in die Augen und nicht auf den Busen.

Wir trafen uns öfters nachmittags, gingen an der Außenalster spazieren und führten lange Gespräche. Darüber, ob Gott tatsächlich allen Gebeten in der Welt gleichzeitig zuhören kann. Oder über Popmusik. Oder über Mathe (na ja, weniger). Manchmal hielten wir uns an der Hand oder er legte den Arm um meine Schultern. Das letzte Mal haben wir uns auf einer Bank sitzend geküsst, lange und voller Sehnsucht. Danach ritzte er mit einem Stecken »R & N« in den harten Boden. Renate & Niels! Ich hätte nackt in die Alster springen können vor Glück.

Bloß: Wenn alles so wunderbar lief, warum saß ich dann jetzt todunglücklich in einem dummen, alten Garten am Ende der Welt und hätte am liebsten den Cosmea und den Löwenmäulchen, den Ringelblumen und den Rosen die Köpfe abgeschlagen?

»Renate!«, rief meine Tante. »Magst du später mit mir in den Gemüsegarten gehen? Die Tomaten müssen hochgebunden werden.«

»Nö«, rief ich. »Keine Lust.«

»Aber ...«

Ich erhob mich schnell aus meinem Korbsessel und ging den Kiesweg zum unteren Ausgang hinab. Die Farnwedel schlugen an meine Beine, sie schienen nicht mehr so hoch zu sein wie früher. Eine schwarze Mückenwolke stand über dem kleinen, versumpften Teich. Eklig. Die Wäscheleine, zu der noch immer der Weg freigemäht werden musste, war grau geworden und hing durch. Ich setzte mich auf den Rand des Brunnens.

Daggi hieß sie. Lange Beine, blonde Mähne, Klassenbeste und auch noch gut in Sport. Die Ungerechtigkeit der

Welt war himmelschreiend. Solange sie mit Franz ging, war ja alles in Ordnung gewesen, aber dann machte sie Schluss mit ihm.

Und hatte auf einmal nur noch Augen für Niels.

Ich hob einen Stein auf und ließ ihn in den Brunnen fallen. Kein Geräusch. Ich seufzte. Schon zweimal hatte Niels keine Zeit für einen Spaziergang an der Alster gehabt. Zahnarzt. Fußballspiel. Gut, konnte ja sein. Aber ...

Ich rupfte eine Margerite aus und zählte die Blütenblätter ab. Er liebt mich, er liebt mich nicht ... Natürlich kam beim letzten Blatt: Er liebt mich nicht.

Die dunkle Höhlung des Brunnens gähnte mich an. Ich war nicht einfach kindisch verknallt in Niels. Das hatte ich schon erlebt, ich wusste, wie das war. (Kurz gesagt, man benahm sich rund um die Uhr wie ein vollendeter Idiot.) Mit Niels war es anders. Noch nie in meinem Leben hatte ich jemanden so gern gehabt. Man konnte mit ihm einfach man selber sein. Musste nichts hermachen, mit Augenaufschlägen, Klamotten oder klugen Sprüchen.

»Weißt du, was ich so an dir mag?«, hatte er einmal gesagt und mich dabei ganz ernsthaft angeschaut. »Dass du nur Sachen sagst, die du wirklich meinst.«

Ich strich über meine kurzen, schwarzen Haare. Na ja, lange Beine und blonde Mähne schienen auf die Dauer doch interessanter zu sein.

Ich hob den Kopf und starrte in den Himmel. Widerlich, dieses makellose Azurblau.

»Renate!«, hörte ich es schwach vom Haus her rufen.

Ich stöhnte unwillig und ging zurück. Wahrscheinlich sollte ich den Tisch fürs Mittagessen decken. Und dann abwaschen. Und dann meiner Großmutter ein bisschen Selma Lagerlöf vorlesen, bis sie in ihrem grünen Samtsessel einnickte. Und dann ...

Das Leben war unerträglich.

Meine Tante wedelte mit einem Brief herum. »Du hast Post aus Erfurt.«

Aus Erfurt? Da kannte ich niemanden. Ich stieg die steinerne Treppe hinauf und nahm meiner Tante gleichgültig den Umschlag aus der Hand. Ein Brief in deutscher Schrift fiel heraus.

»Kann ich nicht lesen.« Ich reichte ihn meiner Tante.

Sie warf einen Blick darauf. »Eine Lilli von Bergen. Sie schreibt, dass sie eine Bekannte von Niels' Großmutter ist und er sie gebeten hat, eine Nachricht für dich mitzunehmen, wenn sie nach Erfurt fährt. Wer ist Niels?«

Ich war schon mit der Hand in den Umschlag gefahren. Ja, da war noch ein winziger, gefalteter, mit Tesafilm zugeklebter Zettel. Ich riss ihn auf. Es stand nichts weiter darauf als: »R & N«.

Ich hob den Kopf. Warum hatte ich diesen unbeschreiblich schönen, strahlend blauen Himmel heute noch nicht gesehen? Und das vergnügte Zwitschern der Vögel nicht gehört? Und den feinen Duft der Rosen nicht bemerkt?

Ich steckte den Zettel in meine Jeanstasche und sagte zu meiner Tante: »Wann gehen wir in den Gemüsegarten? Können wir morgen Tante Walter besuchen? Warum fahren wir nicht mal wieder zum Schwimmen an die Kuhteiche?«

Gerda Anger-Schmidt

Die Attersee-Connection

Um sieben Uhr rasselt der Wecker. Es hebt mich senkrecht aus den Federn. Endlich ist es so weit! Der erste Tag der Sommerferien ist angebrochen. In drei Stunden fährt der Bus zum Feriencamp in Weyregg am Attersee. Und ich, Simon Katzenbeisser, bin diesmal mit von der Partie.

Mein Freund Max schnarcht noch auf der Luftmatratze unter meinem Stockbett. Er ist gestern abends mit Sack und Pack aufgetaucht, um bei mir zu übernachten – aus Angst, dass er verschläft und den Bus verpasst.

»He, Schlafmütze!«, rüttle ich ihn wach. »Es ist so weit!«

Max schält sich langsam aus dem Schlafsack. »Sattelt die Hühner!«, brummt er. »Wir reiten nach Texas!«

Während er sich anzieht, hole ich aus der Küche das große Glas mit den Rollmöpsen und eine Hand voll Lebkuchen, um ihm ein erstes kleines Frühstück zu servieren. Ich mache das nicht nur, weil Max sehr verfressen ist, sondern weil wir einen Handel abgeschlossen haben. *Er* verschafft mir unterm Schuljahr den nötigen Durchblick in Mathematik, *ich* versorge ihn zwischen den Mahlzeiten mit Sachen zum Futtern.

Weil auch Theres, meine Schwester, zu dem Camp am Attersee fährt, will uns Mama alle drei um halb zehn Uhr zur Haltestelle bringen. Doch da spiele ich nicht mit. Auf gar keinen Fall werde ich gleichzeitig mit Theres antanzen, sonst muss ich mir wieder die schwachsinnigen Kommentare ihrer Klassenkameraden anhören.

»Da kommt die Katze und ihr Beißerchen« oder »Oh,

oh, die Schöne und das Biest«. Hahaha, ich lach mich tot!

Papa hat ein Einsehen. Er muss schon früher aus dem Haus und setzt Max und mich auf dem Weg zur Arbeit vor unserer Schule ab. Hier ist allgemeiner Treffpunkt. Hier fährt der Bus zum Feriencamp ab. Zum Abschied schärft mir Papa noch einmal ein, mich auf jeden Fall um Theres zu kümmern, falls sie meine Hilfe benötigen sollte. Diesen möglichen Mehraufwand an brüderlicher Pflichtausübung belohnt er mit zusätzlichen 500 Schilling. »Du kannst sie ja ab und zu auf ein Eis einladen.«

Ich frage mich, wie Papa sich das vorstellt! Erstens ist Theres im Segelcamp und ich im Tenniscamp. Da werden wir einander wohl kaum über den Weg laufen. Und zweitens bekommt Theres an einem einzigen Tag mehr Einladungen auf ein Eis als ich in meinem ganzen Leben.

»Versprochen?« Papa versucht mich festzunageln. Ich nicke und streiche das Geld ein.

Immerhin ist es ein einträgliches Geschäft, eine Schwester wie Theres zu haben. Heute 500 Schilling von Papa. Gestern 200 von ihrem Freund Thomas, der mich bat, Theres zu beschützen, wenn andere Verehrer aufkreuzen sollten. Im Klartext heißt das, dass ich mich wie eine Klette an mein Schwesterherz heften soll, damit kein anderer eine Chance hat. »Und ein kleines Telefonat dann und wann wird ja nicht zu viel verlangt sein«, sagte Thomas noch. »Du verstehst schon.« Für wie blöd hält der mich eigentlich? Bin ich der Anstandswauwau meiner Schwester? Soll ich sie verpfeifen? Sie ist ein freier Mensch und kann tun, was sie will – solange sie mich nicht dabei stört. Aber bitte, wenn er unbedingt will, kann ich ihn ja einmal anrufen. Ganz kurz. Ich werde sagen: Essen prima, Wetter schön, Theres treu. Und bevor er noch lästige Fragen stellen kann, habe ich schon wieder aufgehängt.

Es ist halb neun. Weit und breit noch kein Schwein zu sehen. Also lasse ich Max bei unserem Gepäck zurück und hole vom nahegelegenen McDonald's etwas Reiseproviant, denn Mama vergisst bestimmt wieder, dass Max die dreifache Menge an Fressalien braucht.

Punkt neun Uhr fährt der Autobus vor. Der Fahrer schiebt unser Gepäck in den seitlichen Kofferraum. Wir nehmen nur den Rucksack und das Fresspaket mit in den Bus und setzen uns in die letzte Reihe, weil es da beim Fahren so herrlich schaukelt und weil ich von hier aus Theres am besten unter Kontrolle habe.

Gegen halb zehn Uhr kommt der große Ansturm auf den Bus. Der Fahrer hat alle Hände voll zu tun, die Koffer und Reisetaschen zu verstauen. Draußen stehen Mütter und Väter in Gruppen beisammen und erteilen gute Ratschläge, auf die keiner neugierig ist. Theres ist immer noch nicht da.

Eben kommt eine Abordnung aus der Sechsten, laut und aufdringlich, und setzt sich zu uns nach hinten. Die haben mir gerade noch gefehlt! Die glauben echt, sie sind was Besseres. Wir aus der Dritten sind für sie Luft. Gut, dass ich beim Fenster sitze und Max als Pufferzone zwischen mir und diesen Angebern habe. (Wir haben schon vor Tagen um den Fensterplatz geknobelt und ich habe gewonnen.)

Ein paar aus der Ersten und der Zweiten trudeln ein. Wenn ich mir vorstelle, dass wir auch einmal zu dem Kindergarten gehört haben, ist mir das fast peinlich. Mit ihren hohen Stimmen töten die einem regelrecht den Nerv. Bin ich froh, dass ich schon im Stimmbruch bin. Max noch nicht. Vielleicht dauert das bei einem Vielfraß länger.

In diesem Augenblick hält an der Kreuzung der J-Wagen. Die Türen öffnen sich und ich sehe, wie Jasmine aus der Straßenbahn springt. Mir gibt es einen Stich. Keines der Mädchen an unserer Schule gefällt mir so gut wie sie, doch das sage ich niemandem. Nicht einmal Max. Jasmine kommt allein und hat fast kein Gepäck. Nur einen kleinen Rucksack und eine Reisetasche. Sie hat so etwas Leichtes, Schwebendes. Bei ihr glaubt man immer, sie hebt im nächsten Augenblick ab. Mit ihr würde ich gern meine Schutzgelder verjubeln.

Kaum hat sich Jasmine in die vorletzte Reihe gesetzt, kommt die Meute aus der Siebten. Ich gehe in Deckung, damit mich keiner nach Theres fragen kann. Eine Viertelstunde vor Abfahrt trabt unser Turnlehrer an. Er hat alles organisiert und wird im Tenniscamp die Oberaufsicht haben. In seinem Windschatten ist einer, den ich nicht kenne. »Traumdämon« – steht auf seinem T-Shirt. Er ist schon älter. Wahrscheinlich einer der Studenten, die uns Tennis- oder Segelunterricht geben sollen. Er hat schwarze Schmalzlocken und einen Dackelblick und hält sich wohl für den Schönling vom Dienst. Echt widerlich. Die Mädchen im Bus verrenken sich die Hälse nach ihm, als hätten sie noch nie einen Burschen gesehen. Leider auch Jasmine.

Endlich trifft Theres ein. Wurde auch langsam Zeit! Ihre Klassenkameraden johlen. Sie scheint ziemlich beliebt zu sein. Mindestens fünf Leute haben ihr einen Platz reserviert. Erstaunlich, wenn ich denke, welche Schreckschraube sie zu Hause ist. Auch der Traumdämon, der übrigens Leopold heißt, bietet ihr einen Platz an. Die zwei scheinen einander schon zu kennen. Interessant! Theres entscheidet sich für den Platz neben ihrer Freundin in der Mitte des Busses. Bevor sie sich setzt, lässt sie ihren Späherblick über die Köpfe gleiten, bis sie mich sichtet, und wirft mir unsere Fresspakete zu. Ein kleines für mich. Ein großes für Max. Max grinst bis über beide Ohren. Bei dieser Menge Reiseproviant kann nichts mehr schief gehen. Weil Mama gerade an die Fensterscheibe klopft, um auf sich aufmerksam zu machen, lehnt sich Max mit seinen siebzig Kilo Lebendgewicht über mich und trommelt seinen Dank an die Scheibe. Dass er mich dabei fast erdrückt, ist ihm schnurzegal.

Punkt zehn Uhr startet der Fahrer den Motor. Anstatt nur stumm zu winken, müssen die auf dem Gehsteig aufgefädelten Eltern zum Abschied noch die ewig gleichen Mahnungen loswerden: »Vergiss nicht aufs Zähneputzen!«, »Vergiss nicht zu schreiben!« und »Ruf einmal an!« Auch Mama.

Wie alle anderen winke ich und klopfe an die Fensterscheibe: »Auf Wiedersehn! Tschüs!« Was die Mahnungen angeht, so lasse ich sie mir durch den Kopf gehen. Links hinein, rechts hinaus.

Nun kann die Reise losgehen.

Kaum sind wir aus der Stadt draußen, erhebt sich dieser Leopold und liest die Namensliste vor, die ihm unser Turnlehrer übergeben hat. Er lässt jeden Namen auf der Zunge zergehen, so als wäre er zum Vorsprechen im Theater eingeladen. Will uns der auf den Arm nehmen?

»Katzenbeisser Simon!« Wie er meinen Namen ausspricht, klingt es fast so, als hätte die Katze ihr Opfer schon gerissen und zerbissen. Klar, dass die anderen lachen. Ich antworte mit einem »Hier« und einem giftigen Blick.

»Katzenbeisser Theres!« Nun klingt unser Familienname, als würde die Katze wohlig schnurren und ihr Opfer umgarnen. Die Nummer kommt gut an bei den anderen. Sie wiehern vor Vergnügen. Theres auch. Und Leopold genießt seinen Auftritt.

»Rrrampersdorfer Maximilian!«

Max verschluckt sich und bekommt einen Hustenanfall. Als er bereits zum dritten Mal aufgerufen wird, hebt er den Arm wie ein Ertrinkender. Erst jetzt gibt sich Leopold zufrieden.

»Zuckerkandl Jasmine!« Das klingt, als würde man drei Stück Würfelzucker in eine Teetasse fallen lassen. Jasmine meldet sich. Scheint verwirrt oder verlegen. Was weiß ich! Ich finde, der nimmt sich eindeutig zuviel heraus.

Wir sind schon auf der Autobahn, als ich merke, dass der Traumdämon mit Theres auf Teufel komm raus flirtet. Na bravo! Das kann ja heiter werden. Ich muss an Thomas denken und daran, dass er mir die zweifelhafte Ehre eines Aufpassers zugeschanzt hat. Ob ich jetzt schon eingreifen soll?

Gut! Ich werde es schnell hinter mich bringen. Ich erhebe mich und klettere über Rucksäcke und ausgestreckte Beine. Da macht der Buschauffeur ein kurzes Bremsmanöver. Und ich lande auf dem Schoß des Sommersprossentyps aus der Sechsten.

»Willst du Schoßhündchen spielen?«, fragt mich der. »Dann gib dem Onkel Pfötchen!«

Ob ich auch einmal so blöd werde, wenn ich in die Oberstufe komme?

Leopold tauscht eben mit dem Vordermann von Theres Platz, kniet sich verkehrt auf seinen Sitz, legt seine langen Affenarme um die Kopfstütze und verlautet gerade, dass er handlesen könne. Augenblicklich hält ihm die Freundin von Theres die Handfläche unter die Nase und lässt sich erklären, was die Zukunft für sie bereithält. Bevor sich Leopold auch noch die Hand meiner Schwester schnappen kann, greife ich ein.

»Du, Theres, der Thomas lässt dir ausrichten ...«

Hier mache ich eine kleine Kunstpause, um sie zu nerven.

»Na was?«, fragt sie leicht gereizt. »Sag schon!«

»Er wollte dich nur dran erinnern, dass du ...« Ich prüfe kurz, ob der Mittelgang für den Fluchtweg frei ist. »... dass du ihm nicht untreu werden sollst.«

Theres schießt von ihrem Platz hoch. »Kümmere dich gefälligst um deinen eigenen Kram!«

Gut, dass ich bereits den Rückzug angetreten habe. Sie wäre sicher handgreiflich geworden.

Beim ersten Stopp hat sich Theres wieder einigermaßen in der Hand. Sie nimmt mich auf die Seite und bläut mir ein, dass ich ihr auf dem Feriencamp ja nicht in die Quere kommen soll und dass sie ihre Freiheit genießen will. »Und keine Rückmeldungen an Thomas, kapiert?«

Ich tue so, als stünde ich auf der Leitung. Da wird sie vor Ungeduld ganz kribbelig und nennt mich einen Langsamdenker und Ähnliches. Doch dann ändert sie schlagartig ihre Taktik, macht ganz auf liebe, ältere Schwester und steckt mir ein paar Geldscheine zu: »Da hast du, Simon! Mach dir ein paar schöne Tage!«

Kaum habe ich das Geld eingesteckt, schaltet sie wieder eine härtere Gangart ein. »Und tu mir den Gefallen und misch dich nicht in meine Angelegenheiten. Was ich tue oder lasse, geht keinen etwas an. Hast du kapiert? Keinen!«

Da lasse ich erkennen, dass eben jetzt bei mir der Groschen gefallen ist. »Den Mund soll ich halten? Na klar, verlass dich auf mich! Ich werde schweigen wie ein Grab.«

Während Theres mich stehen lässt und ihren Klassenkameraden in den Rasthaus-Shop folgt, verbucht der Geschäftsmann Simon Katzenbeisser junior die Summe von 200 Schilling unter der Rubrik »Schweigegeld«.

Die ersten Tage lassen sich gut an. Wir spielen Vormittag Tennis – Max in der Anfängergruppe, ich bei den Fortgeschrittenen. Ich habe Leopold als Trainer, Max die schöne Lola, eine Studentin aus Salzburg.

Eigentlich ist Leopold gar nicht so übel. Er gibt uns gute Tips und schaut darauf, dass wir nicht nur an der Grundlinie stehen, sondern auch am Netz spielen. Wenn ich meine Rückhand verbessere, sagt er, habe ich bei den Tenniscamp-Meisterschaften gute Chancen. Klar, dass ich mich dahinter klemmen werde. Er nennt mich Katzenbeisser. (Simon kann jeder heißen, findet er, aber Katzenbeisser? Das ist schon was Besonderes.) Er spielt sich nicht mehr so auf wie im Bus, sondern betont meinen Namen ganz normal. Wenn ich beim Spiel mehr Kampfgeist entwickle und mehr Druck mache, sagt er, dann könnte ich sogar bei den Meisterschaften im Tennisdoppel sein Partner sein. Das nenne ich ein Angebot!

Der Tenniskurs wird nur am Vormittag abgehalten. An den Nachmittagen haben wir frei und können Tischtennis, Volley- oder Wasserball spielen, schwimmen gehen oder uns auf die faule Haut legen, wie Max das tut. Er ist nach dem Tennisspielen immer total erschöpft, sodass er zu nichts mehr zu gebrauchen ist. Meistens streckt er sich nach dem Mittagessen im Zimmer oder auf dem Balkon auf seiner Luftmatratze aus und schnarcht sich eins.

Mich reizt weder Schwimmen noch Wasserball. Ich bin nun einmal keine Wasserratte. Außerdem hat der Attersee nur knappe 20 Grad. Da bringen mich keine zehn Pferde ins Wasser. Also spiele ich an den Nachmittagen unten am Strand Volleyball oder Tischtennis. Irgendjemand findet sich immer, der Lust auf ein Match hat. Manchmal taucht auch Leopold auf und spielt mit. Im Tischtennis habe ich ihn schon einmal geschlagen.

Die Segler kommen meistens gegen fünf Uhr zurück.

Da höre ich dann zum Spielen auf und schaue zu, wie die beiden Boote anlegen. Jasmine ist bei den Anfängern, die das Segeln im kleinen Boot lernen – in der »Libelle«. Theres hingegen hat schon im Vorjahr einen Kurs gemacht und fährt im großen Boot mit – im »Kormoran«.

Ich warte täglich auf die Rückkehr der Segler, weil ich Jasmine gern auf ein Eis einladen und irgendetwas mit ihr unternehmen möchte. Doch jedes Mal, wenn die »Libelle« anlegt und Jasmine auf den Holzsteg springt, kriege ich kein Wort heraus und grinse nur blöd in der Gegend herum. Sie spielt dann fast immer noch mit den anderen Wasserball.

»Komm, spiel mit!«, hat sie mir gestern zugerufen. Das wäre *die* Gelegenheit gewesen, näheren Kontakt aufzunehmen. Doch ich habe nur an das kalte Wasser gedacht und abgewunken: »Hab schon was vor!«, und mich getrollt. Ich bin doch wirklich der größte Hornochse aller Zeiten! Da baut mir das Mädchen meiner Träume eine goldene Brücke und ich Blödmann schaffe es nicht, auch nur einen Schritt auf sie zuzugehen.

»Komm, spiel mit!«, hat auch Theres gerufen. Ihre Aufforderung galt allerdings Leopold. (Warum lässt sie ihn nicht in Ruhe? Schließlich ist er mein Trainer. Und bald schon mein Partner!) Er hat sich nicht lange bitten lassen. Mit ein paar Schritten war er am Ufer und hat sich in die Fluten gestürzt. (Sicher nur aus Höflichkeit, um Theres keinen Korb geben zu müssen.) Ich bin dann ins Zimmer hinaufgelaufen und habe den anderen durch die Balkonritzen heimlich zugeschaut, wie sie gespielt und gelacht haben. Einfach mitmachen! Darauf kommt es an. Warum bin ich nur so ein Hasenfuß? Ich muss mir ein Beispiel an Leopold nehmen. Der lässt sich nicht zweimal bitten. Wenn mich also Jasmine das nächste Mal zum

Mitspielen aufforder, dann werde ich mich nicht drücken, sondern mit Todesverachtung ins kalte Wasser hechten. Obwohl – lieber wäre es mir schon, wenn wir an Land bleiben könnten und ich mich nicht als Wasserratte beweisen müsste. Bei einem Eis oder einem Kinobesuch ließe sich auch viel leichter eine gute Attersee-Connection herstellen. Denn nur darum geht es.

Irgendwie muss mir das gelingen!

Achter Tag im Feriencamp, Max hat Heimweh. Er hat sich das Essen besser und den Tenniskurs weniger stressig vorgestellt. Er sagt, die schöne Lola hetze ihn beim Training erbarmungslos hin und her. Ich glaube eher, dass er sich selbst unter Druck setzt und jeden Ball erwischen will, um nicht als lahme Ente dazustehen. Könnte auch sein, dass er Lola imponieren will. Max hat nämlich eine Schwäche für Mädchen, die älter sind als er.

Am Nachmittag spielt Leopold eine Weile mit uns Volleyball, dann will er zu einem Sommerfest in Attersee.

»Segelt ihr hinüber?«, frage ich, weil der Ort Attersee auf der anderen Seite des Sees liegt. Genau gegenüber von unserem Feriencamp.

»Nein, wir fahren mit Lolas Auto. Also dann, bis morgen!«

Interessante Kombination. Der Traumdämon und die schöne Lola. Wenn Theres das wüsste! Die würde schäumen vor Wut, weil nämlich immer *sie* die Nummer eins sein will, bei allem und jedem.

Ich muss noch meine verlorene Wette einlösen und kaufe im Buffet eine Familienpackung Kartoffelchips und eine Zweiliterflasche Cola für Max. Vielleicht bringt ihn das auf andere Gedanken. Eines weiß ich: Mit Max wette ich nie mehr! Schon gar nicht über das Fressverhalten von

Tieren. Da weiß er einfach zu viel und ist unschlagbar. Dabei hätte ich schwören können, dass Nilpferde Fische fressen. Nicht in hundert Jahren hätte ich sie für Vegetarier gehalten. Pech für mich!

Als ich unser Zimmer betrete, schnarcht Max noch immer oder schon wieder. Ich glaube, er hat die Schlafkrankheit. Vom Balkon aus sehe ich, dass Jasmine und Theres Tischtennis spielen. Mamma mia, bei denen ist der Ball ja mehr auf dem Boden als auf dem Tisch. Theres spielt wie der erste Mensch. Keinerlei Ballgefühl. Hoffnungslos unbegabt. Wenn *ich* Jasmines Trainer wäre, könnte sie Theres schon nach einer Woche besiegen. Was heißt nach einer Woche, wahrscheinlich schon nach ein paar Tagen.

Die Idee ist gar nicht so schlecht. Vielleicht steigt Jasmine darauf ein.

Wie ein geölter Blitz bin ich bei den beiden unten, setze mich auf die Bank und verfolge ihr Spiel. Unfassbar, wie schlecht Theres spielt. Eine Schande für den Katzenbeisser-Clan.

»Hallo, Theres, kommst du?«, ruft Lola vom Balkon ihres Zimmers.

»Ich komme!«, schreit Theres, lässt alles liegen und stehen und trabt zum Haus hinauf. Nanu? Wollte Lola nicht mit Leopold ...?

»Die hat's gut«, sagt Jasmine und schaut Theres sehnsüchtig nach, »die geht heute noch auf ein Sommerfest.«

»Was? Theres auch?« Das ist ja ein dicker Hund. Was läuft da eigentlich? Plötzlich denke ich an Thomas und das mir anvertraute Schutzgeld. Ich sollte meine Schwester wirklich besser überwachen. Wie sagt Mama immer? Vertrauen ist gut, Kontrolle ist besser!

»Wenn du willst, können wir auch auf das Sommerfest

gehen!«, schlage ich vor. Da hätte ich dann Theres unter Kontrolle und könnte mir gleichzeitig ein paar schöne Stunden mit Jasmine machen.

»Und wie kommen wir hinüber?«

Gute Frage! Ohne lange zu überlegen, sage ich: »Mit der ›Libelle‹.«

»Das dürfen wir doch gar nicht!«

»Na und? Wir müssen es den anderen ja nicht auf die Nase binden.« Ich merke, wie der Draufgänger in mir erwacht und ich zur Hochform auflaufe. »Wenn die anderen beim Nachtmahl sind, fahren wir los. Einverstanden?«

»Kannst du überhaupt segeln?«

»Nicht nötig! Wir *rudern* hinüber.« Von Theres weiß ich, dass jedes Segelboot auch Ruder mitführt für den Fall, dass sich der Wind legt. Und rudern kann ich! Erstens hat Papa ein Rudergerät, auf dem ich als Einziger der Familie trainiere. Zweitens bin ich in den letzten Ferien oft mit Max im großen Schlauchboot auf der Alten Donau herumgekurvt, weil er Fischreiher beobachten wollte. In Wirklichkeit hat er jedoch mit dem Feldstecher die sonnenbadenden Frauen am Ufer beobachtet.

»Na, gut! Dann bin ich Punkt sechs am Bootssteg!«, sagt Jasmine.

Bingo! Die Sache scheint zu klappen.

Ich laufe zurück ins Zimmer. Max ist nicht da. Wunder, o Wunder, er ist aufgewacht. Ich stecke das Schutzgeld von Thomas und das Schweigegeld von Theres ein, binde mir den dicken Pullover um die Hüften und dann ab die Post!

Als ich zum Strand hinunterkomme, sehe ich, dass Jasmine bereits im Boot sitzt. Und neben ihr – Max. Ich glaube, mich laust der Affe! Hat Jasmine ihn eingeladen?

»He, Simon!«, ruft mir Max entgegen. »Ich komme mit nach Attersee.«

Schlagartig ist meine gute Laune beim Teufel. Mit finsterem Gesicht springe ich ins Boot.

»Die wird sich wundern, wenn ich beim Sommerfest auftauche!«, grinst Max.

»Wer?«

»Na, die schöne Lola!«

Ich fasse es nicht. Da jammert er die ganze Zeit, wie sehr sie ihn herumhetzt. Und dann fährt er ihr nach. Bis hinüber ans andere Ufer.

»Du weißt aber schon, dass du dir Schwierigkeiten einhandelst, wenn du dich unerlaubt vom Camp entfernst«, sage ich wie ein Oberlehrer. Ein letzter Versuch ihn loszuwerden.

»Keine Panik auf der Titanic!«, sagt Max. »Das ist mir die schöne Lola schon wert.«

Ich werfe Jasmine einen leicht verzweifelten Blick zu. Sie zuckt nur die Achseln. Will heißen: Wir fahren zu dritt.

»Soll ich rudern?«, bietet Max seine Dienste an.

Dieser Angeber! Das sagt er nur, weil Jasmine im Boot sitzt.

»Nein, nein, das übernehme schon ich!«, stelle ich klar.

»Also dann: zwitschern wir ab!«, kräht er gut gelaunt. Keine Spur von Heimweh. Keine Anzeichen einer Schlafkrankheit. Er ist putzmunter und zu allen Schandtaten bereit.

Der See liegt ganz ruhig vor uns. Kein Lüftchen regt sich. Jasmine löst das Tau und stößt das Boot vom Steg ab. Ich lege mich ins Zeug und beginne schweigend und verbissen zu rudern.

»Du bist echt ein Freund!«, sagt Max unvermittelt und

hält mir die mitgebrachte Packung Kartoffelchips unter die Nase.

»Raubtierfütterung«, lächelt Jasmine und steckt mir ein paar Chips in den Mund. Irgendwie löst sich da mein Groll gegen Max auf.

In einer knappen Viertelstunde erreichen wir das andere Ufer. Wir vertauen die »Libelle« am Steg und klettern aus dem Boot. Der Steg führt direkt in einen großen Gastgarten, in dem Girlanden mit bunten Glühbirnen gespannt sind. Dann lesen wir auf einem großen Plakat: GROSSES SOMMERFEST AM SEE, SONNTAG, 11. JULI.

»Sonntag?«, sagt Jasmine verwundert. »Heute ist doch erst Samstag!«

Na bravo! Dass sich Theres mit ihrem Spatzenhirn im Datum irrt, wundert mich kein bisschen. Aber dass so etwas auch Leopold und Lola passiert? Von denen hätte ich eine reifere Leistung erwartet.

»Was tun? sprach Zeus. Die Götter sind besoffen!«, brummt Max und bringt Jasmine zum Lachen, die seine Sprüche noch nicht kennt.

So stiefeln wir durch den Ort und gehen kurz entschlossen ins Kino. Wir haben zwar den Film schon gesehen, aber nichts gegen ein zweites Mal einzuwenden.

Als wir herauskommen, ist es neun Uhr. Max hat Heißhunger und so gehen wir in die Pizzeria neben dem Kino. Max isst eine Pizza allein. Jasmine und ich teilen uns eine. Wir haben einen Mordsspaß, weil Max sich als Stimmenimitator versucht und unseren Direktor nachahmt: »Ramperstorfer, du Lümmel, wie oft soll ich dir noch sagen, dass du im Unterricht nicht rülpsen sollst?«

Als wir beim Witzeerzählen angelangt sind, lade ich die beiden noch auf einen großen Früchte-Eisbecher mit Schlagobers ein.

Um halb elf verlassen wir das Lokal. Höchste Eisenbahn, dass wir zurückrudern. Im Camp ist um 23 Uhr Sperrstunde. Das Wetter hat in der Zwischenzeit umgeschlagen. Es ist kühl geworden und ich bin froh, dass ich meinen Pullover mithabe. Aus der Ferne hört man Donnergrollen. Manchmal zuckt ein Blitz über den See. Als wir den Bootssteg erreichen, fallen die ersten Regentropfen. Binnen weniger Sekunden prasselt es auf uns nieder. Was tun? Wir stellen uns in einem Bootshaus unter. Das Gewitter entlädt sich direkt über uns. An eine Rückfahrt mit dem Boot ist im Augenblick nicht zu denken.

»Sollen wir nicht im Camp anrufen?«, fragt Jasmine unsicher.

»Aber nein! Da handeln wir uns nur Ärger ein!«, beruhige ich sie. »Das Gewitter ist sicher gleich vorbei und dann rudern wir zurück.«

»Wir könnten ein Taxi rufen«, schlägt Max vor.

So eine Schnapsidee! »Vergiss es, Max! Das können wir uns nicht mehr leisten.«

So schnell, wie das Gewitter gekommen ist, verzieht es sich auch wieder. Es hört auch zu regnen auf. Nur der Wind ist geblieben.

Die Kirchturmuhr schlägt elf Uhr. Wir verlassen das Bootshaus und laufen hinüber zum Steg. Der See ist aufgewühlt. Irgendwie unheimlich.

»Wir sollten wirklich drüben anrufen!«, sagt Jasmine.

Kurz schwanke ich, winke dann aber ab: »Nein, wir schaffen es schon allein! Wenn wir jetzt anrufen, dann fliegt alles auf. Und wir müssen zur Strafe abreisen.«

Wir nehmen die Ruder heraus. Mit vereinten Kräften kippen wir die »Libelle«, um das Regenwasser auszuleeren. Dann klettern wir in das Boot und stoßen ab.

Ich peile unser Heim an, das – von Scheinwerfern

bestrahlt – viel weiter entfernt zu sein scheint als bei Tageslicht. Ich lege mich in die Riemen, doch es kommt mir vor, als kämen wir nicht vom Fleck. Die Wellen schlagen von jeder Seite ans Boot. Der Wind ist so stark, dass ich teilweise nur das rechte Ruder einsetzen kann, um nicht vom Kurs abzukommen.

Nach zehn Minuten habe ich keine Kraft mehr und Max übernimmt. Nach ihm Jasmine. Anfangs reden wir noch miteinander. Doch irgendwann geht uns der Gesprächsstoff aus. Wir müssen einander in immer kürzeren Abständen ablösen. Wenn Max oder Jasmine am Ruder sind, sitze ich auf der Wartebank und sehe, wie der Mast unseres Bootes hin und her geworfen wird und wie weit wir noch vom Ufer entfernt sind. Da kriecht Angst in mir hoch. Wir müssen es schaffen, rede ich mir ein, wir müssen es schaffen.

Wir sind noch mitten am See, als plötzlich Leuchtraketen aufsteigen. Ein Motorboot fährt den See ab, kommt aber nicht in unsere Nähe. Ich weiß, dass das die Gendarmerie ist, die ihre nächtliche Streife versieht.

Plötzlich erlöschen die Scheinwerfer, die unser Heim angestrahlt haben. Erst jetzt fällt mir auf, dass Vollmond ist und weiße Wolkenfetzen über den Himmel fegen. Das Ufer liegt dunkel und fremd da. Wir können uns nur mehr an dem Bergrücken hinter dem Heim orientieren, der wie ein großes M aussieht. Darauf müssen wir nun Kurs nehmen. Mir tun schon alle Muskeln furchtbar weh und meine Handflächen brennen. Mir ist eiskalt und siedend heiß, alles in einem.

Das Motorboot fährt weiter den See auf und ab. Da! Eine Leuchtrakete landet knapp neben uns im Wasser. Im nächsten Augenblick sehe ich, wie das Gendarmerieboot wendet und auf uns zukommt. Was ist, wenn es uns zu spät sieht und unser Boot rammt? Dann fallen wir ins kalte Wasser und müssen um unser Leben schwimmen ...

Das Gendarmerieboot kommt näher, immer näher. Wieder steigt eine Leuchtrakete auf. Schlägt knapp neben uns ein. Gleich darauf werden starke Scheinwerfer eingeschaltet und das Motorboot schießt direkt auf uns zu. Ich gerate in Panik.

Jasmine ist aufgesprungen. Mit einer Hand hält sie sich am Mast fest. Mit der anderen winkt sie wie verrückt.

Die müssen uns sehen, die müssen uns ganz einfach sehen! schreit es in mir. Doch ich bringe keinen Ton heraus.

Da gleitet das Motorboot schon seitlich an uns heran. Mir fällt ein Stein vom Herzen. Sie haben uns rechtzeitig gesehen!

»Sind das die drei?«, fragt ein Gendarm.

»Jaja, das sind sie!«, rufen Theres, Leopold und Lola durcheinander und ziehen die »Libelle« nahe an das Motorboot heran.

Gerettet!

Leopold hilft uns hinüber ins Gendarmerieboot.

»Mein Gott, Simon!«, sagt Theres völlig aufgelöst. »Ich hab schon gedacht, ihr seid ertrunken.« Dann umarmt sie mich. (In manchen Augenblicken tut es doch gut, eine ältere Schwester zu haben.)

»Ihr habt uns einen ganz schönen Schrecken eingejagt«, sagt Leopold und gibt jedem von uns eine Decke. »So ein Abenteuer hätte aber auch ins Auge gehen können!«

»Gott sei Dank ist euch nichts passiert!«, sagt Lola und wickelt Max in die Decke. (Das kann sie ruhig tun, immerhin hat er sich ihretwegen auf den Weg gemacht.) Theres hüllt Jasmine ein und Leopold mich. Dann gibt Lola noch jedem von uns heißen Tee aus einer Thermoskanne.

»So ein Leichtsinn, bei diesem Wetter auf den See hinauszufahren!«, schimpft der Gendarm, der unser Boot ins Schlepptau genommen hat. »Übers Knie sollte man euch legen!«

Leopold beschwichtigt ihn und legt mir wie zum Schutz den Arm um die Schultern.

»Tut mir Leid!«, murmle ich. »Aber wir wollten ...«

»Lass nur! Es ist ja noch einmal alles gut ausgegangen«, sagt er, »und über den Rest unterhalten wir uns morgen.«

Ist mir schon klar, dass uns morgen ein Mordsdonnerwetter erwartet. Vom Heimleiter und von unserem Turnlehrer. Da wird kein Auge trocken bleiben. Ich hoffe nur, dass wir nicht abreisen müssen.

Lola hält Max wie ein Riesenbaby im Arm. Entweder stellt er sich schlafend oder er ist vor Erschöpfung tatsächlich eingeschlafen. Theres und Leopold haben Jasmine und mich in die Mitte genommen. Theres hat den Arm um Jasmines Schultern gelegt, Leopold um meine. Mir entgeht nicht, dass sich ihre Fingerspitzen berühren.

Jasmine sitzt neben mir und sagt kein einziges Wort. Ob sie böse auf mich ist, weil alles ganz anders gekommen ist, als es geplant war?

Das Gendarmerieboot braust bereits dem Ufer zu, als Jasmine plötzlich ihre Hand in meine schiebt und mir zuflüstert: »Aber schön war's trotzdem!«

Ja, wenn sie das so sieht?! Dann ist ja alles in Butter. Mit meiner Attersee-Connection im Hintergrund verliert das morgige Donnerwetter augenblicklich seinen Schrecken. Irgendwie werden wir das Kind schon schaukeln.

Und was Theres betrifft: Soll sie ihr neues Glück haben! Ich werde nicht dazwischenfunken und nichts ausplaudern. Ist doch Ehrensache!

Jana Frey

Ein Sommer in Cornwall

Ich bin Jannik. Jannik Sandmann. Und wenn ich an den vergangenen Sommer denke, fällt mir immer als Erstes Sina ein. Sina, ganz klar, und mit ihr fällt mir Dan ein, Sinas Bruder, den ich vor Sina kennen gelernt habe. Letzten Sommer, gleich am ersten Tag. Ich bin mit meiner Mutter in The Harbour, Newlyn, angekommen, so wie all die Jahre vorher auch. Bloß meine Mutter und ich. Mein Vater ist gestorben, als ich noch ziemlich klein war. Ich kann mich kaum an ihn zurückerinnern. Nur dass er mich in alle Pfützen hat springen lassen, egal wie tief und dreckig sie waren, das weiß ich noch. Und dass er auf den Händen laufen konnte und Saltos durch die Luft schlagen. Aber das habe ich auch gelernt. Wahrscheinlich steckt es mir im Blut, das Akrobatische. Es ist ja auch eine lustige Sache, so durch die Luft wirbeln zu können. Aber vernünftiger wäre es, wenn ich es im Blut hätte, Mathematik und Physik und Chemie zu begreifen, denn dann wäre ich nicht sitzen geblieben im vergangenen Sommer.

Wie gesagt, meine Mutter und ich haben dieses winzige Haus in Cornwall, das ist in England. Wir haben es von meinem Großvater geerbt, der hat früher, als er Witwer war, in The Harbour gelebt. Gleich am Meer, neben den vielen Felsen in diesem kleinen Haus, über das sich eine ehrfurchterweckende Trauerweide neigt. Ein bisschen düster ist es ja, düster und irgendwie schwermütig. Genauso wie Dan, als ich ihn zum ersten Mal traf. Er war da und saß auf dem Felsen, auf meinem Felsen. Er hat auf die

Kirche geglotzt, ganz stumm, und dem Wasser gleichgültig den Rücken zugekehrt. Ich gucke immer über das Wasser, weil ich das mag. Die Möwen, wenn sie wie irre kreischen, und diese ewige Gischt, die einen so klebrig macht.

Die Kirche ist ein schwarzer Klotz aus klobigen Steinen, der Turm ist aus Holz, aus dicken, grauen Bohlen. Um die Ecke herum ist eine Pforte mit ein paar roten Ziegeln. Und die Kirche sieht leerer und verlassener aus als alle anderen Kirchen, die ich je gesehen habe.

Okay, ich war also angekommen, für drei Wochen. Mein Sitzenbleiberzeugnis hatte ich zusammengefaltet in der Jeans und ich habe mit meiner Mutter ein Tonic Water getrunken und bin dann rausgerannt.

Und da saß Dan.

Er war eine Woche lang mein Feind, kühl und schlecht gelaunt und unnahbar. Und trotzdem dauernd da. In der zweiten Woche war er mein Kumpel – mein Freund klingt vielleicht besser. In der dritten Woche hat er mich gehasst und alles war sehr kompliziert.

Und so verging die erste Woche:

Die Glocken im nahen Glockenturm schlugen. Zur halben oder zur Viertelstunde oder was weiß ich. Ich kenne mich mit Kirchenglocken nicht die Bohne aus. Nur die Glockenschläge zur vollen Stunde haben für mich einen Sinn.

Es regnete ein bisschen und die Gischt des nahen Meeres wehte mir kühl ins Gesicht. Ich rannte zum grauen Felsen, und die Äste der Trauerweide streiften für einen Moment mein Gesicht. Schön, dich wiederzusehen, trauriger Baum. Ich rannte unter ihm durch und entdeckte diesen fremden Jungen. Ich spähte überrascht durch den Nieselregen. Der Junge sah mich an und runzelte die Stirn.

»Hallo«, rief ich probeweise, weil hallo als Begrüßung schließlich so gut wie international ist.

Ein schwaches Kopfnicken war die knappe Antwort. Kam der Junge von hier? War er Engländer? Er steckte jedenfalls in schicken Klamotten, nicht in einem Schlabber-T-Shirt und verwaschenen Jeans wie ich. Seine Haut war ziemlich dunkel und seine Haare, nassgeregnet, gischtverklebt und windverzottelt, waren schwarz und ein bisschen lang.

Meine Haare sind blond und borstenkurz und waren von der Zehnerabschlussfete, die ein paar Tage vorher stattgefunden hatte, noch an einigen Stellen grün eingefärbt. Inzwischen allerdings recht verwaschen.

Der Junge guckte mich nachdenklich an. Ich guckte zurück.

»In welcher Sprache kommunizierst du am liebsten?«, erkundigte ich mich liebenswürdig und war mit einem Satz auf dem grauen Stein, um wenigstens mit halber Pobacke auf meinem Felsen einen Sitzplatz zu ergattern.

»Ich komme aus Wuppertal«, antwortete der Junge mürrisch.

»Na prima«, grinste ich. »Deutsche Vokabeln sind mir eh am liebsten. Die habe ich am besten im Kopf ...«

Ich grinste noch ein bisschen weiter. »Ich komme übrigens aus München, Bavaria, Waidmannsheil also!«

Der Junge glotzte mich an, als habe er enorm wenig Lust auf meine gesellige Gesellschaft.

»Was treibt den Herrn hierher?«, fragte ich neugierig. »Und noch dazu auf meinen Felsen?«

Der Junge rückte ein wenig zur Seite und ich konnte mich besser zurechtsetzen.

»Ich wohne da hinten«, sagte ich schließlich und deutete zur Trauerweide.

»Aha«, murmelte der Junge und guckte in die entgegengesetzte Richtung.

Da stand ich ungeduldig auf und machte, dass ich weg kam.

Am nächsten Tag hockte er wieder da und es regnete noch immer. Meine Mutter und ich wanderten ins Dorf, und ich winkte dem nassgeregneten Eremiten einen gut gemeinten Gruß zu. Er guckte durch mich hindurch und ich tippte mir an die Stirn.

»Kennst du den Jungen?«, fragte meine Mutter und verhedderte sich in ihrem Regenschirm, der dem Cornwallwind nachgab und resigniert in sich zusammensackte.

»Eigentlich nicht«, murmelte ich und wir schmissen den Regenschirm lachend in einen Abfalleimer neben der düsteren Kirche.

Abends war der Junge weg. Ich war vollgefuttert mit englischem Roastbeef und Fish and Chips und hätte den unfreundlichen Knaben mit Sicherheit vergessen, wenn er nicht am nächsten Tag wieder auf meinem Felsen gehockt wäre.

Ich joggte an ihn ran. Neues Spiel, neues Glück, dachte ich mir und erklomm den Felsen.

»So, Bruder Schweigsam«, polterte ich.

Der Junge guckte kalt wie ein Fisch.

Ich grinste ignorant und schlug ihm auf die Schulter. Wie ein Sack Mehl ließ ich mich neben ihn plumpsen. Er schaute die Kirche an und ich das klare Wasser und die irren Möwen.

»Ich bin sitzen geblieben«, sagte ich zögernd. »Ich trage nachts eine Zahnspange, mein Vater ist bei einem Autounfall gestorben und ich hatte noch nie eine richtige Freundin. Dabei bin ich schon fünfzehn, außerdem heiße ich Jannik und mein Nachname ist eine weitere Katastrophe. – Was bedrückt dich, ich bin ganz Ohr?«

Der Junge hatte sich langsam umgedreht und schaute mich jetzt sehr nachdenklich an. Mit solchen schwarzen verhangenen Augen kann man ja nur düstere Kirchen zu seinen Lieblingsmotiven wählen.

Kurzum, der fremde Bruder Schweigsam sah ziemlich traurig aus.

»Ich bin Dan«, murmelte er nach einer halben Ewigkeit.

»Das ist ein Anfang«, sagte ich nach einer weiteren Ewigkeit. »Du hast also immerhin einen Namen, prima.«

Ich grinste, dabei war ich mir alles andere als sicher, ob es eine besonders gute Idee war, diesen unglücklichen Dan mit munteren Späßen zu überhäufen. Aber ich hatte mich auf dieser Schiene jetzt schon eingefahren.

»Wo wohnst du?«, fragte ich, weil es schon wieder so still war.

Keine Antwort.

»Wo hast du deine Anverwandten untergebracht, he?«

Keine Antwort. Wir reihten, sozusagen, Ewigkeit an Ewigkeit. Und irgendwann glitt Dan wortlos vom Felsen und ging mit großen Schritten davon. Vor der Kirche blieb er unschlüssig stehen und – es passte wirklich gut ins poetische Bild der Situation – presste seine Stirn einen Moment gegen einen klobigen, schwarzen Stein, ehe er davonrannte.

Am anderen Morgen steckte ich meinen Kopf ziemlich früh aus der Haustür, nur um zum Felsen hinüber zu schauen. Und Dan war da. Ich schlenderte in Badehose und T-Shirt über die Wiese, griff in die Äste der feuchten Weide und kletterte am Felsen hoch.

»'n Morgen«, murmelte Dan.

Ich lächelte. Und obwohl mir der Magen knurrte und ich mich im Grunde sehnlichst nach meiner cup of tea sehnte, schlug ich einen kleinen Lauf vor.

»So willst du gehen?« Dan schaute konsterniert auf meine nackten Beine.

»Warum nicht?«, drängte ich ungeduldig.

»Okay, lass uns laufen«, nickte Dan und schoss los. Ich setzte ihm nach und wir rannten, bis mir sämtliche Puste ausging.

»Du bist ja ziemlich sportlich«, keuchte ich anerkennend, als wir endlich ins Gras plumpsten. Die Kirche und die Trauerweide und meinen Felsen hatten wir weit hinter uns gelassen.

»Hm«, murmelte Dan und schaute mich nicht an. Er war längst nicht so ausgelaugt wie ich.

»Treibst du regelmäßig Sport oder so was?«, erkundigte ich mich und wischte mir eine Ladung Schweiß von der Stirn.

»Früher mal«, antwortete Dan, nachdem er eine Weile vor sich hin geguckt hatte. »Früher mal habe ich Marathon trainiert.«

»Und warum hast du damit aufgehört?«

Sein Blick traf mich wie ein Schwerthieb. »Musst du dauernd was fragen?«, schrie er zornig. »Kannst du nicht mal deinen Mund halten?«

Ich gebe zu, ich war beleidigt. Ich bin schnell beleidigt, glaube ich. Ich sagte nichts mehr und zupfte bloß noch ein paar Grashalme aus der feuchten Erde. Wir schwiegen eine Weile und dann wanderten wir wortlos zurück. Wir sahen beide die Rehe, die über einen Acker liefen. Wir blieben sogar stehen und schauten ihnen zu, bis sie im Wald verschwanden.

Kurz vor dem Weg, der zur Trauerweide und zu unserem Haus führt, schwenkte Dan ab und marschierte stumm davon. Ich ging ins Haus, war total kaputt und holte mein versäumtes Frühstück nach. Meine Mutter war froh, dass ich lebendig wieder aufgetaucht war. Sie motzte gewaltig und ich lauschte ihr ergeben.

Am nächsten Morgen tobte einer dieser Morgenstürme, die es oft im Sommer in Cornwall gibt. Ich schlüpfte in ein paar warme Klamotten und verließ früh das winzige, warme Haus, um nach Dan Ausschau zu halten.

Er war da und lächelte vage, als er mich kommen sah.

»Wir mögen beide den gleichen Felsen«, sagte er leise. »Dabei gibt es hier verdammt viele Felsen ...«

Ich nickte wortlos, um ihm klarzumachen, wie still und stumm ich sein konnte, wenn es darauf ankam. Und je einsilbiger ich blieb, desto gesprächiger wurde Dan. Es war verrückt. Wir hockten da im Regen, der eisige Wind tobte um uns herum und wir wurden klatschnass und dennoch hockten wir einträchtig da und fühlten uns wohl.

Dan ist fünfzehn, so wie ich. Er ist ziemlich gut in der Schule, aber er hat trotzdem die letzte Klasse wiederholt. Da war was, über das er nicht reden wollte. »Die Lehrer wollten einfach, dass ich wiederhole«, murmelte er stur. Und mehr sagte er dazu nicht.

»Sie wollten, dass du die Klasse zweimal machst, obwohl du nicht mal eine einzige Fünf auf deinem Zeugnislappen stehen hattest?«

Ich war verblüfft.

»Verdammt, ja ...«, knurrte Dan unruhig. Und dabei blieb es. Als Marathonläufer war er mal sehr gut gewesen, aber auch das war jetzt vorbei.

»Ich habe es nicht mehr leiden können«, sagte Dan steif.

Dafür erzählte er mir, dass sein Vater aus England stamme und seine Familie darum jeden Sommer hier sei.

»Aber warum bist du dauernd alleine?«, bohrte ich schließlich doch ungeduldig. »Du scheinst ja hier keinen Einzigen zu kennen.«

»Ich kenne alle«, sagte Dan leise. »Aber ich hasse diesen Ort. Ich hasse ganz Cornwall. Und England überhaupt ...«

Er stand auf und ich hatte ihn in den letzten Tagen gut genug kennen gelernt, um seine jähen Abgänge vorherzusehen. Dan wollte wieder verschwinden.

»Na, dann tschüs«, murmelte ich, und zum ersten Mal hatte mich Dans Niedergeschlagenheit angesteckt. Vom Meer her wehte ein eisiger Wind, und meine Mutter brüllte wütend nach mir und diagnostizierte mir aus der Ferne bereits eine schwere Lungenentzündung mit qualvollem Ausgang.

Dan sprang vom Felsen.

»Ich habe nämlich eine Schwester«, rief er durch den Wind. »Und ich bin schuld, an allem bin ich schuld, bloß ich allein ...«

Dann rannte er davon. Ich stand noch eine Weile im Regen und dann zerrte mich meine Mutter ins Haus und ich nahm ein heißes Bad und wusste nicht, was eigentlich los war.

Als ich samstags aufwachte, war ich mir sicher, dass Dan wieder kommen würde. Aber ich täuschte mich. Erst Sonntag Mittag ließ er sich wieder blicken. Wir liefen am Meer entlang. Die vereinzelten Bäume links und rechts waren krumm und verdreht vom vielen Westwind. Es war ein schöner Tag.

»Gestern konnte ich nicht kommen«, sagte Dan plötzlich. »Es war was mit meiner Schwester.«

Ich guckte in Dans Gesicht und wusste, dass es sinnlos war, eine neue Frage zu stellen. Dans Gesicht war verschlossen wie ein gut gesichertes Gefängnis.

Das war die erste Woche. In der zweiten Woche kam Dan wieder Tag für Tag. Und ich kam eben auch.

So war das in der zweiten Woche:

Am Montag überredete ich Dan, mit mir ins Dorf zu gehen. Und er kannte dort tatsächlich eine Menge Leute. Dan starrte düster auf das Pflaster und ich kaufte mir eine Portion Fish and Chips, ein paar Ansichtskarten und ein Eis. Die Leute lächelten Dan freundlich zu und fast jeder fragte ihn nach seiner Schwester. Dan wimmelte sie gereizt und grob ab. Schließlich lag das Dorf hinter uns und da blieb ich stehen.

»Was ist mit deiner Schwester?«, fragte ich leise. »Ist sie vielleicht – krank?«

»Sie ist ...«, begann Dan und starrte mich mit seinen schwarzen Augen an. »Sie hat – ich ...«

Dann drehte er sich um und ging davon.

Und ich? Ich folgte ihm vorsichtig. Unser Abstand wurde groß, aber ich behielt ihn immer im Auge und so trottete ich eine halbe Ewigkeit hinter ihm her. Dan schlug mit einem langen Stock auf Ginsterhecken und Schlehenbüsche ein, er trat in eine schmutzige Pfütze und sogar von hinten sah er trostlos und niedergeschlagen aus.

Schließlich, nachdem wir eine ganze Weile über einen weichen, nassen Acker gelaufen waren – ein Ahnungsloser und sein nervöser Verfolger sozusagen – kamen wir zu einem großen grauen Haus in einem wilden Garten. Ich blieb stehen und Dan ging weiter. Er riss ein kleines Gartentor auf und stiefelte hindurch.

Ich schlich um den verwilderten Garten herum und spähte durch einen stacheligen Busch.

Da war Dan. Er lächelte einem Mädchen zu, beugte sich zu ihr hinunter und drückte seine Stirn für einen Moment gegen ihre. Dann hockte er sich ins Gras und lehnte sich mit seinem Rücken gegen die Knie des Mädchens. Das Mädchen saß in einem bunten Rollstuhl und las in einem Buch. Sie hatte dieselben schwarzen Ringellocken wie Dan und dieselbe gebräunte Haut. Es war sehr still da drüben bei den beiden und ich machte mich lautlos aus dem Staub.

Am Tag darauf kam Dan wieder.

Meine Mutter tat ihren Wunsch kund, diesen Tag mit mir verbringen zu wollen. Und so kam es, dass wir einen langen Spaziergang nach St. Ives, zum Hafen, machten und Dan mit uns ging.

»Du bist also Dan«, sagte meine Mutter und schüttelte meinem schweigenden Freund die Hand.

Wir liefen und liefen und meine Mutter und ich verwickelten uns in ein langes Gespräch über die Situation der englischen Fischer in Cornwall. Dan schwieg und trabte dicht neben mir her. Er war mit seinen Gedanken meilenweit von uns weg, das merkte ich.

Als meine Mutter in einem kleinen Pub auf die Toilette ging, klammerte ich mich an meinem Colaglas an und blickte Dan fest in die Augen.

»Wie heißt denn überhaupt diese Schwester von dir, hm?«

Dan zuckte zusammen.

»Sie heißt ... Sina«, murmelte er schließlich.

»Und wie alt ist sie? Wo steckt sie die ganze Zeit?«

Dan runzelte die Stirn und starrte mich ärgerlich an.

»Warum willst du das alles wissen, he?«

»Vielleicht will ich sie mal kennen lernen«, antwortete ich.

»Du kannst sie nicht kennen lernen«, fuhr Dan mich an. Aber seine Stimme klang nicht sauer oder so.

»Warum nicht?«

»Sie möchte das bestimmt nicht«, sagte Dan. »Und ich möchte eigentlich nicht drüber reden, okay?«

Meine Mutter kam vom Klo zurück und wollte wieder hinaus in den Wind. Wir tranken unsere Colas aus und stiefelten hinter ihr her nach draußen.

Auf dem Heimweg fror ich ziemlich und Dan schlüpfte aus seiner warmen Jacke und warf sie mir zu.

»Und du?«, fragte ich überrascht.

»Ich friere nicht«, sagte Dan.

Ich lächelte dankbar und Dan lächelte leicht zurück.

»Sie ist fünfzehn, wie wir«, sagte er dann. »Und sie liebt Stepptanz. Im letzten Frühjahr hat sie im Wuppertaler Tanztheater die Aufnahmeprüfung gemacht. Sie war die Beste von allen, die mitmachten ...«

Dans Gesicht sah für einen Augenblick zufrieden aus. Dann wurde es wieder düster. So wie es fast immer war.

»Sie ist fünfzehn?«, rief ich beeindruckt. »Dann seid ihr ...«

Dan nickte verlegen. »Zwillinge, ja. Ich rede nicht gerne darüber, weißt du.«

Ich hatte ein komisches Gefühl im Bauch, weil ich jetzt so viel wusste und weil Dan nicht wusste, wie viel ich schon wusste. Ich guckte in den Himmel und joggte schließlich einfach los. Dan setzte mir nach und überholte mich nach wenigen Schritten. Meine Mutter wurde hinter uns kleiner und kleiner, und als wir uns endlich ins Gras schmissen, stießen wir zusammen und lagen Seite an Seite da.

»Gut, dass wir uns getroffen haben«, sagte Dan.

»Gut, dass wir beide diesen Felsen mögen«, sagte ich.

»Gut, dass du dauernd Zeit für mich hast«, sagte Dan und grinste ein bisschen.

»Gut, dass du dauernd kommst«, lachte ich.

Der Tag war in Ordnung gewesen.

Am Mittwoch besuchten Dan und ich einen alten Fischer. Er wohnte in einem heruntergekommenen Mietshaus nah beim Hafen und trank ein Bier nach dem anderen. Außerdem war er blind und seine Augen bohrten sich dauernd milchiggelb in meinen Blick. Der Alte sprach ein Englisch, von dem ich kein Wort verstand. Er schien den Akzent der Leute von Cornwall mit einer Menge anderer Dialekte zu einem verwirrenden Kauderwelsch vermixt zu haben. Dan drehte dem Alten dicke Zigaretten und korkte ihm seine Bierflaschen auf. Er rasierte ihm das runzelige Gesicht und las ihm aus einer englischen Tageszeitung so lange sämtliche Anzeigen vor – Traueranzeigen, Heiratsbekanntmachungen, Geburten von winzigen Briten vermischt mit Suchanzeigen nach entlaufenen Hunden und Katzen, verloren gegangenen Brillantringen und dem Wunsch nach einer getäfelten Wohnzimmerwand –, bis ich dachte, ich würde auf der Stelle den Verstand verlieren.

Als wir endlich gingen, verstand ich doch ein paar Worte des alten Fischers. Wir standen an seiner Wohnungstür und ich tastete gerade nach einem Lichtschalter, als der Mann Dan am Ärmel packte.

»Say hello to Sina. Tell her, I miss her beautiful voice and the time, when she has sung for me ...«

Ich fand den Schalter und Dan stand vor dem alten Fischer und weinte.

»He ...«, sagte ich leise und der Fischer kriegte trotz seiner blinden Augen Dans Tränen genauso mit wie ich. Er legte seine dünnen Hände um Dans Gesicht und da schluchzte Dan.

Als wir schließlich gingen, war das Flurlicht schon wieder erloschen und wir fanden es beide besser, durch ein dunkles Haus zu wandern.

»Vielleicht erzähle ich dir morgen von ihr«, sagte Dan, als wir zur Trauerweide kamen. »Von Sina, meine ich.«

»Ist klar«, antwortete ich. »Erzähl mir morgen von Sina.«

Dan ging davon und ich kletterte alleine auf meinen Felsen am Meer und winkte den Möwen zu.

Den ganzen folgenden Tag über fiel ein dünner Nieselregen vom Himmel und der Nebel hatte die ganze Küste grau eingepackt. Dan kam erst mittags und wir packten eine Tasche voll Süßkram und wanderten zum Wasser hinunter.

Als wir das Meer erreichten, sagte Dan: »Ich wollte heute eigentlich gar nicht kommen.«

Ich nickte. »Ich war schon früh beim Felsen und habe nach dir geguckt. Ich habe mir gedacht, dass du nicht kommen willst.«

»Ich möchte nicht über Sina reden«, murmelte Dan.

»Ich dachte, du willst ...?«

»Ich sollte es, vielleicht.«

Wir sahen uns an.

»Sie hatte einen Unfall, was?«, fragte ich vorsichtig.

»Ja, sie hatte einen Unfall«, antwortete Dan und blickte aufs Meer hinaus. Sein Gesicht war ganz ruhig. »Es war letzten Sommer.«

»Hier in England?«

Dan nickte.

»Sie ist gestürzt, abgerutscht.«

Dan drehte sich um und starrte eine graue Felswand an.

»Sie ist von einem Felsen gestürzt?«

Dan nickte. Dann fuhr er herum. »Es ist alles so lächerlich. Sie stürzte nicht mal tief. Überhaupt nicht tief! Nur ein bisschen. Sie rutschte weg und verlor das Gleichgewicht ...«

Er machte ein paar wilde Schritte auf das Meer zu und watete schon knietief im Wasser.

Ich ging ihm hinterher und es war grotesk, wie wir dort standen, mit klatschnassen Füßen, mitten in den Wellen, die kamen und gingen, und ich fror wie ein Wahnsinniger. Ich zitterte richtig, während Dan dastand wie angewurzelt.

»Wir waren so aufgedreht und vergnügt und tobten bei den Felsen herum.«

Dan guckte mich an. Ich war froh, dass Dan mich ausgesucht hatte, um das alles zu erzählen, aber gleichzeitig wäre ich in dem Moment gerne abgehauen, wäre gerne weit weg von Dan gewesen.

»Sina hat für mich getanzt, irgendwas Verrücktes, Wildes: Ich wollte sie ärgern, nur zum Spaß, und habe sie nachgemacht. Und dann bin ich gestolpert, weil da ein Vorsprung im Felsen war – ich bin gestolpert und habe mich an Sina festgehalten und da, da ist sie ausgerutscht, nach hinten gestolpert, meine ich. Sie ist vom Felsen gefallen und es war gar nicht so schlimm, gar nicht tief, meine ich. Und es sah nicht schlimm aus, zuerst. Aber ...«

Dan redete nicht weiter, stattdessen drehte er sich um und schwankte zurück an den Strand.

»Sie ist gelähmt, nicht wahr?«, fragte ich und mir war schlecht.

»Ja, sie ist gelähmt ...«, flüsterte Dan. Und während er davonmarschierte, murmelte er wieder etwas von Schuld. Mehr war nicht zu verstehen. Aber ich hatte kapiert. Das war der vierte Tag in der Woche, in der Dan mein Kumpel, mein Freund war.

Am nächsten Tag fuhren wir nach Lands End, ans

steilste Ende von Cornwall – meine Mutter, Dan und ich. Der Nebel hing in düsteren grauen Fetzen über den tiefen endlosen Felsen und es sah unheimlich aus. Unheimlich gefährlich und unheimlich schön. Ich guckte Dan vorsichtig an, als er in die Tiefe blickte, und Dan sah todtraurig aus. Er begann Steine zu schmeißen und meine Mutter und ich schauten ihm dabei zu. Ich hatte meiner Mutter von Dan und Sina erzählt und wir standen hinter ihm und warteten ab.

Irgendwann drehte er sich um und seine Augen waren nicht mehr ganz so rabenschwarz.

»Meine Schwester hat gelähmte Beine«, erklärte er meiner Mutter und ließ den letzten Stein neben sich auf die Erde plumpsen. »Sie hatte diesen Unfall und ihre Wirbelsäule wurde verletzt. Sie kann nicht mehr gehen ...«

Meine Mutter nickte und Dan und ich begannen um die Wette zu laufen.

Die Möwen kreischten schrill und Dan schaffte es kaum, sie zu überbrüllen. »... manchmal hasse ich mich dafür, dass ich laufen kann und Sina nicht. Manchmal hasse ich die ganze Welt und ich wünsche mir, ich wäre es gewesen, der gestürzt ist, aber ...«

Er sah mich wild an. »... aber ich will es nicht. Ich bin verdammt erleichtert, dass meine Beine okay sind, und das ist so schrecklich von mir, so schrecklich!«

Ich antwortete nicht, was hätte ich auch sagen sollen? Und wir liefen und liefen und ich war froh, dass ich Dan getroffen hatte.

Die zweite Woche war fast zu Ende und Dan und ich fanden am Samstag ein winziges Fenster in der kleinen Kirche bei unserem Haus, das offen stand. Wir kicherten und kletterten hindurch. In der Kirche war es dunkel. Wir schlichen herum, stiegen auf die kleine Kanzel, untersuchten die dunkle Sakristei, berührten die Orgelpfeifen und nahmen ein paar englische Münzen aus dem Opfergabenkasten, die ich später wieder zurückwarf. Wir trieben uns im Kirchenschiff herum und verbrachten einen interessanten Nachmittag.

Ein paar Mal läuteten über unseren Köpfen die Glocken und schließlich verdrückten wir uns, durch das Kellerfenster hindurch, in den Kirchgarten. Es war schön, wieder an der frischen Luft zu sein. Dan rannte über das Gras. »Sieh mal!«, rief er plötzlich.

»Was ist?«

»Da wachsen Blue Bells, das sind Sinas Blumen. Ihre Lieblingsblumen, meine ich.«

Ich betrachtete die winzigen Pflanzen, die aussahen wie blaue Schneeglöckchen.

»Pflücken wir ein paar«, schlug ich vor.

»Ich weiß nicht ...«, murmelte Dan unschlüssig.

»Na komm schon«, drängte ich.

Wir pflückten eine Hand voll blauer Schneeglöckchen, mitten im Sommer im Kirchgarten der St. Roseland Church und redeten nicht viel dabei.

Als wir schließlich zurück auf den Weg zum Dorf kamen, blieb Dan plötzlich reglos stehen.

»Was hast du?«, fragte ich und wäre fast gegen ihn geprallt.

»Scheiße«, murmelte Dan grob.

»Hm?«, machte ich und kapierte nichts.

Aber da war Sina. Sie war alleine mit ihrem Rollstuhl unterwegs und sie war wunderschön, anders kann man es nicht nennen. Sina guckte uns an und rollte ganz langsam näher. Sie hatte ein wildes Gesicht, das nichts Mädchenhaftes hatte, einen breiten, lachenden Mund und Dans scharfgeschnittene Nase. Sie steckte in einem verwaschenen Fischerhemd und einer zerbeulten Jeans, ihre Haut war braun gebrannt und ihr Gesicht sommersprossengesprenkelt. Ich starrte sie an und brachte keinen Ton heraus.

»Hallo«, sagte Sina als Erste. »Ich habe mich gelangweilt und da habe ich mich auf die Suche nach dir gemacht, Dan.«

Dan sagte nichts und kniff nur die Lippen zusammen.

»Ist das dieser Freund von dir?«, fragte sie lächelnd und streckte mir eine Hand entgegen.

»Ich bin Jannik«, murmelte ich. »Jannik Sandmann, der Name ist ein bisschen blöd ...«

»Hallo, Herr Sandmann«, sagte Sina auch sofort und lachte leise.

Ihre Augen waren eisgrün, ehrlich. Ich hatte noch nie solche Augen gesehen.

Ich lächelte wie ein Volltrottel, lächelte und lächelte und spürte dabei, wie ich mich verliebte, zum ersten Mal richtig verliebte. Und ausgerechnet in Sina. Ausgerechnet in Dans heilige Schwester, die gelähmt war und die im Rollstuhl saß und so unglaublich wunderschön aussah.

»Ich möchte jetzt gerne nach Hause«, sagte Dan da.

Ich sah ihn an und merkte, dass er wütend war.

Mir selbst fiel nichts zu reden ein.

»Na los«, fuhr Dan Sina grob an. »Ich bringe dich jetzt zurück.« Und er packte Sinas bunten Rollstuhl und schob ihn weg. Sina sagte kein Wort. Sie schaute nicht zurück und winkte mir nicht mal zu.

Plötzlich war ich alleine und blieb noch eine Ewigkeit da stehen, ehe ich zurück ins Haus meines Großvaters ging.

Am letzten Tag der zweiten Woche kam Dan nicht zum

Felsen. Ich wanderte alleine am Meer entlang und versuchte Ordnung in meine Gedanken zu bringen.

Und dann begann die letzte Woche:

Am Montag kam Dan wieder nicht zum Felsen. Es war schon fast Abend, als ich alleine loswanderte. Ich wusste, wo ich hingehen würde. Und als ich vor dem Haus stand, in dem Dan und Sina mit ihren Eltern wohnten, war ich außer Atem und sehr unruhig. Aber da war Sina.

»Hallo, Sina«, sagte ich überrumpelt.

»Hallo, Herr Sandmann«, sagte Sina. »Dan ist nicht hier. Ich dachte, er wäre wieder mit dir zusammen. Er ist schon heute Vormittag verschwunden.«

»Zu mir ist er nicht gekommen«, gab ich zu und traute mich kaum, Sina richtig anzuschauen. Auf ihren Knien lag ein Buch von Tucholsky und ihre Hände waren sehr schmal und lang mit kurzgeschnittenen Fingernägeln, die sehr hell von ihrer dunklen Haut abstachen.

Und diese ungewöhnlichen Augen in dieser ungewöhnlichen Farbe.

»Ich wollte sowieso dich sehen«, sagte ich tatsächlich und warf einen knappen Blick auf Sinas reglose Beine.

»Du wolltest mich sehen?«, fragte Sina und lächelte mir zu.

Ich nickte.

»Dann komm«, sagte Sina und drehte ihren Rollstuhl, um in den Garten zu fahren. Ich lief ihr in kleinen Schritten hinterher.

Wir hockten uns in eine windstille Ecke des großen wilden Gartens und ich hatte eine gelbe Ginsterhecke hinter mir und eine Wiese, auf der lila Heidekraut wucherte, vor mir.

»Es ist schön hier«, sagte ich, nur um etwas zu sagen.

»Was weißt du von mir?«, fragte Sina und schaute mich forschend an.

Ich überlegte. »Ich weiß, dass du früher getanzt hast«, war das Erste, was ich sagte.

Sina nickte.

»Und ich weiß von deinem Unfall.«

Sinas Gesicht war ganz ruhig.

»Ich weiß, dass Dan sich an allem die Schuld gibt und dass er unglücklich ist, todunglücklich. Und wütend, weil dieses Gefühl von Schuld ihn fast verrückt macht.«

Sina nickte wieder. »Weißt du noch mehr?«

Ich zögerte. »Ein alter Fischer hat gesagt, er vermisst dein Singen und deine Stimme«, sagte ich dann. »Davon hat Dan nie geredet. Nur dieser alte blinde Mann. Und vor ihm konnte Dan weinen.«

»Du weißt ziemlich viel«, sagte Sina.

Diesmal nickte ich und wir schauten uns eine Weile an. Und da kam Dan. Er entdeckte mich sofort und kam langsam näher.

»Geh weg«, kommandierte er. »Los, Jannik! Geh hier weg ...«

»Du spinnst, Dan«, sagte Sina. »Ich denke, er ist ein Freund von dir.«

»Ich will nicht, dass er hier ist, das ist alles«, sagte Dan aufgebracht. »Er soll nicht hier angeschlichen kommen, wenn ich nicht da bin. Ihr sollt nicht über mich reden, ich mag das nicht.«

Ich stand langsam auf und Sina zuckte mit den Achseln. Ich stellte mich vor sie und sie gab mir beide Hände.

»Kommst du morgen wieder?«, fragte sie mich und ich hörte, wie Dan neben mir die Luft anhielt.

»Möchtest du, dass ich komme?«

»Ja, bitte, komm her.«

»In Ordnung«, sagte ich und da ging Dan davon.

Sina begleitete mich bis zum Ende des Gartens und wir mussten uns dauernd anschauen.

»Wir könnten den alten Fischer besuchen, morgen«, schlug ich vor.

Sinas Augen ähnelten plötzlich doch Dans Augen, als sie leise sagte: »Ich werde darüber nachdenken. Ich habe früher oft für ihn gesungen, aber damals war eben alles anders, verstehst du?«

»Ich glaube schon«, sagte ich leise.

Am anderen Morgen, als ich zu dem Haus trabte, in dem Sina wohnte, umgab mich weißgrauer Nebel, eine nasse, düstere Dämmerung, so ein Tag eben, an dem es überhaupt nicht hell werden will.

»Du bist aber früh«, rief sie mir schon von weitem entgegen. Dan war nirgends zu sehen. Ich gebe zu, ich war erleichtert, ihm heute nicht sofort begegnen zu müssen.

Sina und ich frühstückten zusammen mit Sinas Mutter. Sina steckte in einem dunkelblauen Overall und hatte darüber eine kurze rosa Jeansweste an. An ihrem linken Ohr baumelte ein dicker Obelixohrring. Sie sah schön aus. Ich musste sie dauernd anschauen.

»Wollt ihr beide heute Vormittag etwas unternehmen?«, erkundigte sich Sinas Mutter.

Sina und ich tauschten einen Blick.

»Vielleicht gehen wir zu Merryn ...«, sagte Sina schließlich zögernd. »Er hat sich schon wieder nach mir erkundigt. Ich war ja auch schon sehr lange nicht mehr bei ihm.«

Sinas Mutter lächelte. »Du hast Recht«, sagte sie.

Und dann brachen wir auf. Ich schob Sinas Rollstuhl durch den Garten und versuchte nicht an Dan zu denken. Ob er sich wohl irgendwo verkrochen hatte und uns beim

Weggehen zusah? Ich fühlte mich nicht sehr wohl in meiner Haut.

»Mach dir keine Sorgen wegen Dan«, sagte Sina, die meine Gedanken durchschaute. »Dan und ich sind eben Zwillinge, wir hängen sehr aneinander, vielleicht ist er ein bisschen eifersüchtig auf dich ...«

Wir schwiegen eine Weile und ich wollte gerne lustig und aufgekratzt sein, der gute, alte Jannik Sandmann eben, wie ich ihn selbst kannte und gewohnt war. Locker, verdreht, immer ein wenig der Clown. Aber zusammen mit Sina war ich plötzlich ein völlig anderer Jannik Sandmann.

»Schau mal, die Sonne kommt«, rief Sina irgendwann und zeigte zum Himmel. Aber die grauen Wolken waren schon wieder dabei, die zögernde Sonne zu verschlucken.

»Du musst mich nicht schieben«, sagte Sina da und zog mich an ihre Seite. »Wenn du neben mir gehst, kann ich dich angucken. Das mag ich lieber.«

Ich wurde rot und stolperte und wir nahmen den langen Weg rund um den nassen Acker herum, um zum Hafen zu kommen. Wir waren ziemlich lange unterwegs und manchmal machten wir eine kurze Pause und wir sahen auch wieder die Rehe nahe beim Wald.

»Wie schön, sieh mal«, rief ich und Sina lächelte mir zu. »Dan liebt diese Rehe auch. Wir haben ihnen früher oft zusammen zugeschaut.«

»Bloß früher?«, fragte ich vorsichtig, weil bei Sina und Dan wohl vieles nicht mehr so war wie früher.

»Ja«, sagte Sina nachdenklich. »Dan will seit dem Unfall überhaupt nichts mehr mit mir machen. Er möchte nicht mit mir nach draußen gehen. Er kann es nicht ertragen, dass ich nicht mehr so sein kann wie früher. Wenn er mich sieht, fühlt er sich, glaube ich, immer, immer, immer schuldig ...«

Wir schauten uns ratlos an.

Als die Rehe zwischen den Bäumen verschwanden, setzten wir unseren Weg wieder fort.

Plötzlich lag das Dorf vor uns und die Sonne nahm einen neuen Anlauf. Es wurde endlich richtig hell, sommerhell, sommerferienhell. Ich atmete auf und wir gingen zu Merryn, dem Fischer.

Im Treppenhaus schauten Sina und ich uns bloß einen Moment an, dann hob ich sie einfach aus ihrem bunten Rollstuhl und trug sie durch das düstere Treppenhaus. Sina schlang einen Arm um meine Schulter und fühlte sich wunderschön an. So schön, wie sie aussah, und ich hätte ewig weitergehen können.

»Hello, Merryn«, sagte Sina leise.

»You're so welcome, my dear Sina!«, rief der Fischer und sah sehr zufrieden aus. Wir gingen hinter ihm her in die enge Wohnung und verbrachten einen wirklich tollen Tag. Wir bekamen ein echt englisches Frühstück und Sina sang für Merryn. Zu Beginn vielleicht ein bisschen zögernd und leise, aber sie sang. Die Moritat von Macky Messer. Die Ballade von den Seeräubern. Und eine Menge alter Fischerweisen aus Cornwall, die fast immer von König Artus und seinen Rittern, von der Suche nach dem heiligen Gral und dem Schwert Excalibur erzählten. Ich lauschte fasziniert und der alte Fischer lächelte. Einmal tastete er sich langsam nach vorne und streichelte vorsichtig Sinas Beine, für einen winzigen Moment bloß. Ich hatte Merryn da sehr gerne.

Am nächsten Tag kam Sina zu mir. Mir wurde heiß im Bauch vor Freude und Schreck, als ich sie kommen sah.

Ich wanderte mit Sina die Küste entlang. Im nassen Sand ließ sie mich nun doch ihren Rollstuhl schieben und ich schaute in ihre schwarzen Ringellocken hinein und beugte mich manchmal über sie, um in ihr Gesicht sehen zu können.

»Warum tust du das dauernd?«, fragte Sina schließlich und hielt mein Gesicht mit beiden Händen fest. »Warum siehst du mich dauernd so merkwürdig an, he?«

Ich wurde tatsächlich rot.

»Es ist wegen deiner Augen«, gab ich zu. »Es ist diese Farbe. Ich liebe diese Farbe, ich habe sie noch bei niemandem gesehen, bloß bei dir.«

Sina ließ mich los und es war sehr still, als ich den Rollstuhl wieder anschob. Sogar die verflixten Möwen hielten auf einmal ihren Schnabel.

Es wurde heiß und irgendwann konnte ich nicht mehr. Ich hob Sina aus dem Rollstuhl und wir legten uns in den Sand.

»Es ist bestimmt verrückt, mit einem querschnittgelähmten Mädchen durch die Gegend zu ziehen, was?«, fragte Sina zögernd und blickte über das Wasser.

»Es ist, glaube ich, wunderschön, mit einem querschnittgelähmten Mädchen durch die Gegend zu ziehen«, gab ich zurück und war froh, dass Sina mich nicht anschaute.

»Du könntest was Tolleres machen«, sagte sie leise.

»Du bist toll«, sagte ich.

»Früher war ich mal ziemlich – gut«, sagte Sina und richtete ihre eisgrünen Augen wieder auf mich. »Früher konnte ich tanzen und singen und herumrennen ...«

»Singen kannst du immer noch«, sagte ich. »Und herumrennen könnte ich für dich, wenn du es willst.«

Ich sprang auf. »Soll ich dir meine Beine –«, ich betonte meine Beine tapfer und musste dennoch dabei schlucken, »– soll ich dir meine Beine mal vorführen?«

Sina runzelte die Stirn, weil sie nicht wusste, was ich vorhatte, aber dann nickte sie. Und ich schlug aus dem

Stand einen Salto für sie. Ich schlug einen zweiten Salto und einen dritten.

Sina schaute mir zu und ich glaube, sie lächelte zufrieden. Da machte ich einen Handstand und schoss vor auf meine Füße und machte mit der nächsten Drehung den nächsten Handstand und flog wieder auf meine Füße zurück. Zack und zack und zack, vom Wasser zum Felsen und vom Felsen zum Wasser.

Sina schaute mir unverwandt zu. Zum Schluss lief ich auf den Händen zurück zu Sina. »Meine Arme benutze ich nämlich manchmal auch«, rief ich atemlos und ließ mich neben Sina in den warmen Sand gleiten.

»Das war schön«, sagte Sina und zog mich zu sich. »Weißt du, keiner außer dir redet mit mir über seine Beine. Alle benehmen sich so sonderbar seit dem letzten Sommer. Dan hat mit dem Laufen aufgehört, obwohl er schrecklich gut war ...«

»Sie wollen dich nicht traurig machen«, sagte ich und tat plötzlich genau das, was Merryn getan hatte. Ich streichelte Sinas Beine.

Am Donnerstag stand Dan auf dem Felsen. Es goss in Strömen und ich fühlte mich ganz leer, als ich ihn an Sinas Stelle entdeckte.

Dan sah grenzenlos niedergeschlagen und unglücklich aus. Ich ging auf ihn zu und hatte Herzklopfen.

»Du bist sauer auf mich, ich weiß«, begann ich, weil Dan verbissen schwieg.

»Du bist ein Betrüger, ein elender Betrüger«, stieß Dan schließlich hervor und guckte wild.

»He, ich ...«, begann ich, aber Dan ließ mich nicht zu Wort kommen. »Du hast dir mein Vertrauen erschlichen, du Schwein, und als du alles aus mir herausgequetscht hattest, hast du dich an Sina herangemacht.«

»Du spinnst ja!«, rief ich aufgeregt.

»Tu nicht so scheinheilig«, brüllte Dan. »Was willst du überhaupt mit Sina? Sie ist gelähmt, verstehst du? Hast du mal ihre Beine gesehen? Ihre unbeweglichen Beine und ihre Füße mit diesen verkrampften Zehen, hast du das alles schon gesehen, he?«

Ich stand fassungslos da und Dan schlug die Hände vors Gesicht und raste davon. Ich ging ins Haus und verkroch mich im Bett, für den ganzen restlichen Tag.

Der Freitag war der fünfte Tag meiner letzten Ferienwoche. Ich dachte pausenlos an Sina und wusste nicht, was ich tun sollte.

Sie kam, als es fast Abend geworden war. Ich hörte ihren Rollstuhl auf dem Kies und lief ihr entgegen.

»Schön, dass du kommst«, sagte ich sanft und Sina schob ihre Hand in meine. So standen wir im Wind und schauten uns an.

»Komm mit«, sagte ich schließlich und wir wanderten an unserem kleinen Haus vorbei, in einem weiten Bogen unter windschiefen Bäumen hindurch die Küste entlang, bis wir zu einer geschützten Wiese im Wald kamen. Weiches Moos wuchs über weicher Erde und jede Menge Ginster wucherte um uns herum. Ich hob Sina aus dem Rollstuhl und wir schlangen unsere Arme umeinander und lagen für eine Weile ganz still auf dem warmen Boden. Ein bisschen nass war es auch, aber das störte uns nicht weiter. Ich spürte Sinas Atem an meinem Hals. Ihre Haare kitzelten mein Gesicht und sie roch so gut.

»Ich mag dich«, sagte Sina schließlich.

»Und es ist der schiere Wahnsinn«, flüsterte ich, »wie ich dich mag ...«

Ich streichelte Sinas Beine und ihren Bauch und ihren Hals und ihre Stirn. Als der Mond aufging, leuchteten

Sinas Haare. Ich beugte mich vor und küsste ihre Wange. Nach und nach, sehr langsam, tasteten meine Lippen nach ihren Lippen.

Das war nun wieder ganz und gar dieser neue Jannik Sandmann. Ich war nicht locker und selbstbewusst und cool und witzig, nein, stattdessen zitterte ich am ganzen Körper. Endlich öffnete ich – wie Sina auch – sehr vorsichtig meine Lippen und wir gaben uns einen sehr langen Kuss.

Die Zeit blieb stehen oder vielleicht raste sie auch davon oder kreiste wie verrückt um uns herum oder machte sich klammheimlich aus dem Staub, jedenfalls versank mein Zeitgefühl ganz und gar und plötzlich war es schon fast dunkel um uns herum.

Irgendwann schob Sina mich jedenfalls sanft zur Seite.

»Es wird ziemlich kalt«, sagte sie lächelnd. »Sieh mal, wie der Mond leuchtet ...«

Da hob ich Sina hoch und trug sie zum Rollstuhl.

Auf dem Weg zurück sang Sina für mich die Ballade von den Seeräubern und ich war furchtbar glücklich.

Am Samstag kam Dan, um sich zu verabschieden, und er war wieder sehr kühl und distanziert. Wenigstens schrie er mich nicht mehr an, er bat mich bloß, Sina doch um Gottes willen in Ruhe zu lassen, sie zu vergessen und ihr keinen Blödsinn in Sachen Liebe zu erzählen.

»Sie ist anders als andere Mädchen«, sagte Dan. »Und sie ist schließlich behindert, begreif das doch, du Trottel.«

Ich schluckte und erwiderte, dass ich das sehr wohl begreifen würde und dass ich mich dennoch in Sina verliebt hätte und warum, zum Teufel, das nicht in Ordnung sei.

»Ich will nicht, dass irgendjemand Sina noch mal wehtut«, murmelte Dan ohne mich anzusehen. »Ich kann den

Gedanken nicht ertragen, dass Sina sich auf dich verlassen könnte und du sie dann doch, früher oder später, sitzen lassen wirst. Ich will auf Sina aufpassen. Hätte ich doch bloß im letzten Sommer besser aufgepasst ...«

Dan ging mit hängenden Schultern davon und Sina und ich haben uns ein Jahr lang geschrieben und geschrieben. In diesem Sommer bin ich sechzehn und morgen werden Sina und Dan in The Harbour eintreffen. Ich bin gespannt, wie es werden wird.

Sina hat mir im Winter geschrieben, dass es Dan endlich ein bisschen besser geht und dass er wieder angefangen hat zu laufen. Sie schrieb, dass Dan aufgehört habe dauernd von seiner Schuld zu reden.

Ich persönlich werde immer besser in Akrobatik.

Himmel, wie ich mich nach Sina sehne ...

Barbara Veit

Abenteuer in den Dolomiten

Ich war sechzehn, als ich den Schlern-Westgrat be-
zwang. Der Schlern ist kein Mount Everest, auch kein
Eiger, er ist ein seltsamer Berg in den Dolomiten. Seltsam
deshalb, weil er eigentlich wie eine gigantische Kirche
aussieht, wie eine gotische Kathedrale. Er besteht aus zwei
Teilen: einem spitzen Turm und einem riesigen Felsklotz
dahinter. Es gibt viele Sagen in der Gegend des Schlern.
Die Schlernhexen sollen zum Beispiel Nebel und Wolken
ausschicken, um Wanderer und Bergsteiger in die Irre zu
führen.

Seit Jahren schon verbrachte ich mit meinen Eltern die
Sommerferien in einem Dorf am Fuße des Schlern. Das
mag langweilig klingen, doch es war überhaupt nicht
langweilig. In all den Jahren hatte ich viele Freunde gefunden, die ebenfalls jeden Sommer wieder kamen. Es waren
die Söhne und Töchter von Familien aus Bozen, der
Hauptstadt Südtirols. Ihre Eltern hatten Häuser und
Wohnungen im Dorf oder in den Wäldern der Umge-
bung. Sommerfrische nannten sie ihren Urlaub und die
Häuser hießen Sommerfrisch-Häuser. Südtirol gehört seit
dem Ersten Weltkrieg zu Italien, doch die Menschen
sprechen noch immer deutsch.

Die anderen jungen Leute hatte ich beim Schwimmen
an dem kleinen Moorweiher kennen gelernt, der direkt
unter der gewaltigen Felswand des Schlern liegt. Für mich
waren diese Ferien die schönste Zeit des Jahres. Jeden
Abend war irgendwas los: Wir brieten Hähnchen am

offenen Feuer, wir machten Wanderungen und Bergtouren zusammen, wir ritten auf Haflingern, jenen goldfarbenen kleinen Pferden mit den weißblonden Mähnen, die in Südtirol gezüchtet werden. Die Ferien waren wie ein Rausch von Freiheit und Lebendigkeit für mich. Normalerweise wohnte ich nämlich in Hamburg. In Hamburg war das Wetter meistens schlecht, außerdem musste ich jeden Tag zur Schule gehen. Hamburg war für mich einfach grau, obwohl das eigentlich ungerecht ist. Aber das hat etwas mit Alltag zu tun. Alltag war Grautag. Ferien dagegen Sonne und Abenteuer.

Na ja, so viele Abenteuer gab es auch nicht. Jedenfalls nicht solche mit Spannung und Herzklopfen. Das änderte sich in jenem Sommer, als ich sechzehn wurde. Es gab da nämlich einen jungen Mann, der neu in unserer Gruppe war. Ich hatte ihn vorher noch nie gesehen. Er war schon zwanzig – fast einundzwanzig. Eigentlich alt! Jedenfalls war er der beste Gitarrespieler von allen und er kannte die lustigsten Lieder. Er war groß und kräftig, studierte Architektur in Venedig. Außerdem war er bei all den anderen Freunden aus Südtirol hoch angesehen. Seine Name war Georg, doch alle nannten ihn Giorgio.

Ich kam mir ziemlich unbedeutend neben ihm vor: Die Show gehörte immer ihm. Doch dann kam ein Abend, der alles änderte. Einer jener Abende, an denen wir Hähnchen grillten, die von den Südtirolern »Gigger« genannt wurden. Das Grillfest hatte immer etwas Aufregendes, denn wir trafen uns nach Einbruch der Dunkelheit an einem Felsen im Wald. Der Felsen sah aus wie eine Art Findling – stand einfach da zwischen den Bäumen, als hätte ein Riese oder eine der Schlernhexen ihn hingestellt. »Matura-Felsen« nannten ihn meine Freunde, denn er war der Treffpunkt für die Feiern am Ende der Schulzeit. »Matura« ist in Italien die Reifeprüfung. Der Felsen war ein fast magischer Ort, geschwärzt von unzähligen Feuern.

Ich war nicht die einzige deutsche Urlauberin, die eingeladen war ... obwohl ich meine Freunde am längsten kannte. Da war noch ein Mädchen aus Hannover, das ganz schrecklich in Hans verliebt war. Hans war der Sohn eines Weingutbesitzers – und ich glaube, dass seine Eltern ziemlich reich waren. Hans war der einzige Junge, den ich nicht leiden konnte. Er war großspurig, fuhr einen Sportwagen, trank immer zu viel Wein und beleidigte dann alle. Eigentlich passte er nicht so recht zu uns, denn die anderen waren alle bescheiden und freundlich.

Zu Beginn war es ein Fest wie viele andere, die ich zuvor erlebt hatte. Mit Rucksäcken voller Essen und Wein brachen wir in der Dämmerung auf. Einige von uns waren bereits mit Autos vorausgefahren, um die schweren Sachen zu transportieren und das Feuer vorzubereiten. Trockenes Reisig war dazu nötig und ein paar Säcke mit Holzkohle.

Als ich mit Birgit aus Hannover und ein paar anderen am Felsen ankam, loderte bereits ein kräftiges Feuer. Die ersten Hühner brieten an Holzspießen und ein köstlicher Duft zog durch den Wald.

Giorgio schnitzte gerade neue Spieße, andere suchten trockenes Holz. Bald saßen wir in einem großen Kreis um das Feuer, erzählten Geschichten und Witze, fühlten uns einfach wohl. Der Saft der brutzelnden Hähnchen zischte im Feuer – wir tranken Wein und Wasser. Manchmal schloss ich kurz die Augen – einfach nur, um zu schnuppern und dem Lachen zu lauschen. Ich hätte immer so leben mögen.

Doch dieses gute Gefühl hielt nicht an. Hans trank wie üblich zu schnell und zu viel. Birgit versuchte ständig ihn davon abzuhalten. Er schlang den Arm um sie, lachte sie aus und kippte das nächste Glas. Als die Hähnchen gar waren, hatte er bereits einen ziemlichen Schwips. Zwei Stunden später war er so betrunken, dass er kaum noch stehen konnte.

Es ist seltsam, wie sehr ein einziger Mensch einen schönen Abend verderben kann. Irgendwann drehte sich alles nur noch um ihn. Er torkelte ins Feuer und jemand musste ihn herausziehen, er beschimpfte Birgit, dass sie »eine blöde norddeutsche Kuh« sei, irgendwer beruhigte ihn. Schließlich kam er auf die Idee, den »Matura-Felsen« zu erklettern. Und ehe ihn jemand zurückhalten konnte, turnte er schon weit über uns, kletterte immer weiter und saß schließlich auf der Spitze – sechs oder sieben Meter über uns.

»Kommt herauf, wenn ihr euch traut! Feiglinge!«, schrie er und spuckte auf uns herab.

Birgit weinte. Ich nahm sie in den Arm und versuchte sie zu trösten.

»Er behandelt mich immer so schlecht, wenn er betrunken ist!«, schluchzte sie. »Sonst ist er immer so süß! Ich versteh ihn einfach nicht!«

»Und warum lässt du dir das gefallen?«, fragte ich.

»Aber er ist doch so lieb!«, weinte sie laut.

Ich hatte da so meine Zweifel. Ich fand Hans überhaupt nicht lieb. Ich fand, dass er ein blöder Angeber war, der nur lieb tat, damit alle ihn mochten.

Und dann passierte, was passieren musste: Als Hans nach einer Weile herabklettern wollte, rutschte er aus. Im letzten Augenblick konnte er sich am Felsen festklammern. Da hing er nun, fünf Meter über dem Boden, unfähig, sich vorwärts oder rückwärts zu bewegen.

Birgit schrie: »Oh, mein Gott, er stürzt ab!«

Giorgio sah sie von der Seite an.

»Ich hol ihn ja schon«, sagte er trocken.

Dann stieg er bedächtig an dem glatten Felsen empor, als handelte es sich um eine Treppe. Er erreichte Hans, zeigte ihm Tritt für Tritt, Griff für Griff im Felsen. Nach fünf Minuten gelangten beide wohlbehalten auf den Boden zurück. Hans packte die nächststehende Weinflasche, setzte sie an den Mund und trank in großen Schlucken.

Birgit fiel ihm in den Arm.

»Hör auf!«, rief sie. »Du verlierst ja den Verstand, wenn du so viel trinkst!«

Hans schleuderte sie von sich. Birgit rappelte sich auf und griff nach der Flasche. Hans holte aus und gab ihr eine so kräftige Ohrfeige, dass Birgit auf den Boden stürzte. Ich sah, dass Giorgio einen Schritt machte, doch ich war schneller. Ich weiß nicht, was mir den Mut gab, doch ich handelte ganz instinktiv: Ich machte drei Schritte auf Hans zu, holte aus und knallte meine Hand mit solcher Wucht in sein Gesicht, dass er ebenfalls umfiel.

Ich stand vor dem Feuer, spürte die Hitze auf meiner Haut und schaute auf Hans hinunter.

»Trau dich ja nicht, noch mal ein Mädchen zu schlagen«, hörte ich mich sagen.

Jetzt erst wurde mir bewusst, dass alle anderen mich anstarrten. Es war ganz still im Wald. Nur das Knistern des Feuers war zu hören. Dann rappelte Hans sich auf. Sein Gesicht leuchtete rötlich vom Schein der Flammen, doch sicher auch vor Wut. Er schwankte und wollte sich auf mich stürzen.

»Scheiß-Piefkin!«, schrie er. Piefke war das Schimpfwort der Tiroler für Deutsche. Mein Herz raste. Ich hatte plötzlich Angst vor ihm, doch mein Zorn war mindestens genauso groß. Wenn er mich anfasste, würde ich ihn umwerfen! Doch in diesem Augenblick trat Giorgio neben mich. Er war viel größer als Hans und kein bisschen betrunken. Giorgio packte Hans einfach am Kragen und hielt ihn ein Stück von sich weg.

»Du entschuldigst dich jetzt«, sagte er ruhig. »Und zwar bei deiner Freundin und bei Anna.«

Hans versuchte Giorgios Griff abzuschütteln, doch er hatte keine Chance.

»Wird's bald?« Giorgios Stimme klang drohend.

»Gut!«, schrie Hans. »Ich entschuldige mich. Ich weiß zwar nicht für was, aber ist gut, ich mach alles, was du sagst. Wenn du dich hier als großer Piefke-Beschützer aufführen musst, dann tu das. Aber die anderen werden es sich merken! Und ich auch!«

»Dummschwätzer, besoffener«, knurrte Giorgio und ließ Hans los. Der fiel gleich wieder um.

»Ich bringe ihn nach Hause«, sagte Peter. »Er soll seinen Rausch ausschlafen. Wenn er wieder nüchtern ist, dann reden wir einmal ernsthaft mit ihm.«

»Hoffentlich hilft's was«, grinste Giorgio.

Dann zogen zwei der Jungs den schwankenden Hans auf die Beine und führten ihn durch die Dunkelheit davon. Wir andern setzten uns langsam wieder ans Feuer. Birgit schluchzte noch ein wenig.

»Ich würd die Finger von ihm lassen«, sagte Giorgio zu ihr und klopfte ihr aufmunternd auf den Rücken. Dann setzte er sich neben mich und starrte in die Flammen. Ich schaute ihn vorsichtig von der Seite an. Eine Locke seiner dichten, fast schwarzen Haare fiel in seine Stirn. Er hatte sehr helle Augen, deren durchdringender Blick mich häufig verlegen machte, und um seinen Mund lag ein leicht spöttisches Lächeln. Ich fühlte mich schon wieder eingeschüchtert, kam mir vor wie ein ganz kleines Mädchen.

»Na?«, fragte er und wandte mir sein Gesicht so schnell zu, dass ich den Blick nicht mehr senken konnte. Ein Glück, dass das Feuer alle Gesichter färbte, denn ich lief knallrot an.

»Du hast ja eine Menge Mut«, sagte Giorgio, nachdem er mich eine Weile gemustert hatte. »Verprügelst du öfters große Burschen oder hast du freche ältere Brüder?«

»Ich habe keine Brüder«, murmelte ich. »Ich kann es nur nicht leiden, wenn jemand ohne Grund gewalttätig wird und andere mies behandelt.«

Giorgio nickte.

»Ich kann das auch nicht leiden«, sagte er. »Und ich glaub, ich hab für heute genug vom Hühnerbraten. Kommst du mit? Ich geh zu Fuß ins Dorf hinunter.«

Mein Herz machte einen Sprung. Giorgio wurde von allen Mädchen bewundert, das hatte ich schon mitbekommen. Und nun fragte er ausgerechnet mich, ob ich mit ihm ins Dorf gehen wollte. Und ob ich wollte! Aber ich hatte auch ein bisschen Angst. Aber wovor eigentlich?

»Gern!«, antwortete ich. »Mir ist nämlich auch der Spaß vergangen!«

Wir verabschiedeten uns von den anderen. Sie riefen uns Scherzworte nach: »Schau, schau! Der Giorgio und die Anna. Das ist ja ganz was Neues! Pass auf, Anna! Der Giorgio ist ein Herzensbrecher!«

Mir war das so peinlich. Aber irgendwo fühlte ich mich auch ein wenig stolz. Trotzdem war ich heilfroh, als wir endlich außer Hörweite gelangten. Wir konnten nur langsam gehen, denn es war stockfinster zwischen den hohen Bäumen. Hin und wieder fiel ein heller Streifen Mondlicht durch die Baumkronen und beleuchtete geisterhaft einen bemoosten Felsen oder einen Stamm.

»Die Richtung stimmt«, sagte Giorgio.

114

»Hoffentlich verlaufen wir uns nicht«, meinte ich.

»Macht auch nichts«, lachte Giorgio, »irgendwo kommen wir immer heraus. Ich kenne diese Gegend wie meine Hosentasche.«

Wir stolperten eine schier endlose Zeit durch den Wald, liefen gegen Baumstämme, verhedderten uns in Büschen, kratzten uns an Ästen. All die Anspannung der letzten Stunde war plötzlich wie weggeblasen. Wir kicherten und lachten. Giorgio erzählte von den Schlernhexen, die uns jetzt die ganze Nacht im Kreis herumführen würden, um uns zu ärgern. Normalerweise hätte ich mich entsetzlich gefürchtet in diesem unheimlichen Wald, doch mit Giorgio wurde diese Wanderung zu einem lustigen Abenteuer.

Als wir schließlich den Waldrand erreichten, war ich richtig enttäuscht. Ich hätte noch stundenlang mit Giorgio herumlaufen mögen. Unter uns lag das Dorf. Die Kirche wurde von einem Scheinwerfer beleuchtet. Es war ganz still. Mondlicht lag silbern auf den steilen Wiesen.

Wir standen eine Weile schweigend und schauten nur. Dann atmete ich tief ein. Ich liebte dieses Land. Giorgio sah mich von der Seite an.

»Schön, gell!«, sagte er. »Schön auch, dass du still schauen kannst, Anna.«

Und dann nahm er meine Hand und rannte mit mir quer über die Wiesen zum Dorf. Das Gras war nass vom Tau und wir rutschten, kugelten und lachten. Als wir unten ankamen, waren wir völlig außer Atem und hatten grüne Flecken. Kein Mensch war mehr in den Gassen unterwegs. Giorgio hielt noch immer meine Hand. Er brachte mich vor die Tür des Gasthofs, in dem meine Eltern und ich Zimmer gemietet hatten.

»Wenn du Lust hast, dann möchte ich dir was ganz Besonderes zeigen«, sagte Giorgio plötzlich.

»Was denn?«, fragte ich neugierig.

»Die Heimat der Schlernhexen!«, antwortete Giorgio geheimnisvoll. »Gut' Nacht!«

Er gab mit ganz schnell einen Kuss auf die Wange, dann war er weg. Ich hörte nur noch seine Schritte auf den Pflastersteinen. Langsam angelte ich den Hotelschlüssel aus dem Blumenkasten. Dort versteckte der Wirt ihn stets für späte Gäste. Meine Eltern hatten nichts dagegen, wenn ich abends mit den anderen jungen Leuten wegging. Sie kannten die meisten und auch deren Eltern.

Was Giorgio wohl mit »der Heimat der Schlernhexen« gemeint hatte? Vielleicht eine Schlucht oder eine Höhle im Berg? In dieser Nacht schlief ich nicht besonders gut. Immer wieder musste ich an Giorgio denken. Er gefiel mir sehr, war ganz anders als die übrigen jungen Männer der Gruppe. Viel ernsthafter und trotzdem so lustig.

Am nächsten Tag sah ich Giorgio überhaupt nicht. Auch keiner der Freunde hatte ihn gesehen. Ich suchte ihn überall – traute mich jedoch nicht, an seiner Sommerfrisch-Wohnung zu klingeln, deren Eingang unter einem alten Torbogen im Dorf lag.

Vielleicht hat er es nicht ernst gemeint, dachte ich voll Ungeduld und ich fühlte mich verletzt.

Zwei Tage später tauchte er wieder auf. Schon beim Frühstück im Hotel. Er kam einfach in den Speisesaal und stellte sich meinen erstaunten Eltern vor. Dann zog er sich einen Stuhl heran und lächelte uns drei aus seinen hellen Augen an.

»Ich würde Ihre Tochter gern zu einer Bergtour einladen«, sagte er. »Sie können mir völlig vertrauen, denn ich habe schon als Bergführer gearbeitet. Wir werden außerdem noch einen Freund von mir mitnehmen.«

»Und wohin soll die Tour gehen?«, fragte mein Vater.

116

»Auf den Schlern – aber auf einer speziellen Route, die besonders schön ist.«

»Eine gefährliche Route?«, fragte meine Mutter.

»Nein, nicht gefährlich. Es gibt zwar ein paar Stellen, an denen man klettern muss, aber Ihre Tochter ist ja sehr sportlich und wird das leicht schaffen.«

»Ich möchte aber nicht, dass Anna klettert!«, antwortete meine Mutter.

»Es ist nicht richtig klettern. Sie können mir wirklich vertrauen.« Giorgio lehnte sich ein wenig nach vorn. Er sah sehr überzeugend und erwachsen aus.

»Warum soll denn ausgerechnet meine Tochter mitgehen?«, fragte mein Vater.

»Ich glaube, dass sie einen besonderen Sinn für die Schönheit unserer Landschaft hat – und ganz besonders für die Schlernhexen.«

Ich hielt den Atem an. Giorgio machte seine Sache wirklich gut. Er kannte mich eigentlich kaum, doch er traf genau den richtigen Ton für meine Eltern.

»Ja«, sagte Vater auch schon nachdenklich. »Sie hatte schon immer eine besondere Liebe zur Natur. Da muss ich Ihnen Recht geben. Außerdem finde ich es sehr nett von Ihnen, dass Sie zu uns kommen und die Sache nicht einfach mit Anna ausmachen. Anna ist schließlich erst sechzehn.«

Wenige Minuten später war alles abgesprochen. Ich hatte die Erlaubnis, am nächsten Morgen um vier Uhr früh mit Giorgio und seinem Freund Peter aufzubrechen, und ich platzte fast vor Aufregung.

Nach dem Frühstück setzte Giorgio sich mit mir in den Garten des Gasthofs und gab mir genaue Anweisungen. Schwere Bergschuhe, bequeme Jeans – nicht zu eng! Pullover und Windjacke! Proviant würde er mitbringen.

»Es wird anstrengend«, sagte er, plötzlich ein wenig besorgt. »Wir werden mindestens sechs bis sieben Stunden im Berg sein. Kannst du das durchhalten?«

»Klar!«, antwortete ich.

»Und geh früh ins Bett! Ich werde um Punkt vier vor dem Hotel warten!«

»Zu Befehl!«, rief ich und salutierte vor ihm.

Da lachte er wieder und legte ganz kurz den Arm um mich. Dann verschwand er wieder für den Rest des Tages, denn er meinte, dass er noch eine Menge vorzubereiten hätte.

Für mich dagegen zog sich der Tag unendlich in die Länge. Ich ging zum Schwimmen, doch lange hielt ich es am Weiher nicht aus. Ich putzte meine Bergstiefel so blank wie nie zuvor. Ich versuchte zu lesen, doch ich begriff gar nicht, was ich da las. Endlich wurde es Abend, endlich gab es Abendessen. Um neun Uhr lag ich schon im Bett. Papa hatte versprochen mich zu wecken, doch außerdem stellte ich noch zwei Wecker neben mein Bett. Ich freute mich so! Natürlich schlief ich nicht sofort ein, sondern wälzte mich vor Aufregung hin und her.

Als beide Wecker gleichzeitig um halb vier Uhr klingelten, sprang ich so schnell aus dem Bett, dass mir schwindelig wurde. Kurz darauf klopfte Papa an meine Tür.

»Bin schon auf!«, rief ich.

»Ich warte auf dich«, sagte Papa durch die Tür.

So schnell hatte ich noch nie geduscht, mich angezogen und gekämmt. Papa saß im Morgenmantel auf einem Stuhl im Flur. Er sah müde und besorgt aus.

»Pass gut auf dich auf«, sagte er und drückte mich an sich.

»Klar!«, antwortete ich. »Du kannst ruhig wieder ins Bett gehen!«

»Ruhig ist gut!«, sagte Papa. »Ich mach mir Sorgen!«

»Bitte nicht!«, flüsterte ich, um die anderen Gäste nicht zu wecken. »Macht euch einen schönen Tag, du und Mama. Giorgio passt auf mich auf!«

Papa nickte ernst. Und dann ging er doch nicht ins Bett, sondern begleitete mich nach unten, wo die Wirtin mir am Abend ein kleines Frühstück bereitgestellt hatte. Punkt vier trat ich aus der Tür des Gasthofs. Giorgio saß auf der Mauer zwischen den Blumenstöcken.

Ich wandte mich noch einmal zu meinem Vater um. Plötzlich stand auch meine Mutter neben ihm in der erleuchteten Eingangshalle.

»Tschüs!«, rief ich.

Die beiden winkten und sahen irgendwie verloren aus. Sie machten sich wirklich Sorgen. Giorgio hob ebenfalls die Hand zum Gruß. Dann wandten wir uns um und gingen nebeneinander die stille Gasse hinauf. Sein Freund Peter würde erst am Einstieg in den Berg zu uns stoßen, erklärte er mir. Peter wohnte nämlich am Fuß des Schlern.

Wir ließen das Dorf hinter uns, die Wiesen, erreichten den Wald. Der Himmel wurde langsam heller. Die ganze Welt schien farblos zu sein in der Morgendämmerung. Hellgrau und dunkelgrau. Doch auf einmal wurde der riesige Berg über uns in einen goldenen Schimmer getaucht.

»Jetzt kommt sie«, sagte Giorgio und blieb stehen. Wir drehten uns fast gleichzeitig um. Vom Waldrand aus konnten wir bis zum Horizont sehen, auch dort leuchtete ein rötlich-goldener Streifen. Die Sonne war nicht mehr fern. Wir stiegen schnell weiter, sprachen wenig, denn der Weg war steil.

Giorgio trug einen großen Rucksack, ein Seil und einen Schutzhelm auf dem Rücken.

»Für wen ist der Helm?«, fragte ich keuchend.

»Für dich«, antwortete Giorgio. »Die Gämsen lassen gern Steine auf Kletterer herunter regnen. Vielleicht sind es auch die Schlernhexen. Man weiß das nie so genau.«

»Red keinen Blödsinn!«, sagte ich.

»Ist kein Blödsinn! Du wirst es schon sehen!«

Wir erreichten eine Alm – die letzte unter der Felswand, die jetzt fast senkrecht über uns aufragte. Verschlafene Kühe betrachteten uns erstaunt, ließen hin und wieder ein sanftes Muhen hören. Jetzt wurden die Bäume lichter und immer mehr Felsblöcke lagen am Steilhang. Sie waren bemoost oder mit Flechten bewachsen. Die wenigen Bäume trugen lange Flechtenbärte an den Ästen. Es wurde immer heller und dann erschien die Sonne hinter dem Schattenriss der Dolomitenberge – rot glühend und wunderbar. Gleichzeitig wurde die Welt wieder in Farben getaucht.

»Ich hab noch nie einen so schönen Sonnenaufgang gesehen«, sagte ich leise zu Giorgio.

»Das glaub ich gern«, antwortete er trocken. »Hier ist der beste Platz für Sonnenaufgänge!«

Und dann stand die Wand vor uns. Der Berg war wirklich eine Steinwand, die aus dem grünen, moosigen Hang herauswuchs. Auf einem Felsblock saß Peter und winkte uns entgegen. Ich aber starrte auf die Wand.

Da sollte ich hinauf? Giorgio hatte gesagt, dass man nur ein bisschen klettern müsste! Diese Wand sah aus wie der Himalaya! Ich schluckte schwer.

»Und wie sollen wir da raufkommen?«, fragte ich mit belegter Stimme.

»Kein Problem!«, sagte Peter. »Es schaut nur so wild aus. Wenn du erst einmal drin bist, dann wird es ganz einfach.«

»Nur Mut«, sagte Giorgio, »du schaffst das leicht!«

Dann legte er mir eine Art Geschirr um die Brust, das mir eher für einen Schlittenhund geeignet schien. Er machte einen Karabiner daran fest und hängte diesen wiederum am Seil an. Auch die beiden jungen Männer legten Brustgurte um. Dann musste ich den Helm aufsetzen – die anderen trugen feste Filzhüte.

»Auf geht's!«, rief Giorgio.

Er ging zuerst, ich kam in der Mitte und Peter war der dritte Mann unserer Seilschaft. Mein Herz klopfte heftig. Wenn meine Eltern das wüssten! Aber das war endlich ein Abenteuer, wie ich es mir heimlich schon lange gewünscht hatte!

»Du musst ganz aufmerksam gehen!«, sagte Giorgio, als wir zum Einstieg kamen. »Jeder Tritt muss sicher sein. Jeden Griff musst du zweimal prüfen.«

Wir kamen erstaunlich schnell vorwärts. Die Wand, die eben noch unbezwingbar ausgesehen hatte, war voller Schrunden und Einbuchtungen. Meistens konnten wir fast aufrecht gehen, nur ein wenig nach vorn geneigt. Latschenkiefern wuchsen aus dem Fels. Ich schaute nicht um mich, sondern konzentrierte mich nur auf die Tritte und Griffe auf meinem Weg. Es ging wunderbar und machte totalen Spaß. So ging es ungefähr zwanzig Minuten. Dann erreichten wir ein breites Latschenfeld, das auf einer Art Terrasse wuchs.

»Hier verschnaufen wir ein bisserl«, sagte Giorgio, nahm seinen Hut ab und wischte sich den Schweiß von der Stirn. Auch mir war heiß geworden. Ich drehte mich um und schaute zum ersten Mal hinunter. Da stockte mir für einen Augenblick der Atem. Senkrecht unter uns lag der kleine Badesee, ein runder blauer Fleck im grünen Wald. Giorgio hatte mich beobachtet.

»Ist dir schwindelig?«, fragte er besorgt.

Ich schüttelte den Kopf. »Ich hatte nur nicht gedacht, dass wir schon so weit oben sind. Es ist – es ist wie im Flugzeug. Oder vielleicht sieht ein Adler so die Welt!«

»Ja, wie ein Adler«, nickte Giorgio. »Weiter oben gibt es sogar einen Adlerhorst.«

Als wir weiterstiegen, entdeckte ich zwischen den Latschen eine kleine Steintafel.

»Warte mal!«, rief ich Giorgio zu.

Ich beugte mich über die Tafel und bog die Latschenzweige zur Seite. Es war ein Gedenkstein für einen abgestürzten Bergsteiger. Erschrocken richtete ich mich auf. Giorgio schaute auf mich herab.

»Du hast doch versprochen, dass es hier nicht gefährlich ist!«, sagte ich atemlos.

»In den Bergen ist es überall gefährlich«, erwiderte Giorgio. »Nur wenn man umsichtig ist, wird die Gefahr kleiner. Dieser arme Kerl hier war allein. Es war Herbst und neblig. Er hätte nie allein hier heraufsteigen dürfen.«

»Auf geht's!«, rief Peter hinter uns.

»Weiter?«, fragte Giorgio.

»Weiter!«, antwortete ich.

Je höher wir hinaufkamen, desto schwieriger und steiler wurde der Klettersteig. Außerdem konnte ich sowieso keinen Steig erkennen. Für mich sah es so aus, als würden wir irgendwie durch die Felswand klettern. Einmal sahen wir drei Gämsen, die rechts von uns auf einem Felsvorsprung standen und zu uns herüberstarrten. Im nächsten Augenblick waren sie verschwunden, wie ein Spuk. Nur ein paar Steinchen, die sie losgetreten hatten, rollten noch über die Felsen.

Ich wurde müde, meine Arme schmerzten, meine Knie

und Oberschenkel ebenfalls. Aber ich biss die Zähne zusammen.

»Bald haben wir es geschafft!«, sagte Giorgio plötzlich.

»Wird auch Zeit!«, rief Peter von unten. »Ich hab einen Hunger, dass mein Magen schon brummt.«

»Und wo sind die Schlernhexen?«, fragte ich nach oben zu Giorgio, der das Seil an einem Haken gesichert hatte.

»Gleich sind wir da! Wir kommen jetzt zu einem tiefen Kamin, einem schwarzen Spalt im Berg. Die Leute sagen, dass tief in diesem Kamin die Schlernhexen wohnen. Also seid still und vorsichtig und grüßt die Damen höflich!«

»Ach, Spinner!«, rief Peter. »Steig endlich weiter!«

Langsam näherten wir uns dem Kamin. Es war tatsächlich ein unheimlicher Spalt im Felsen. Ich starrte hinauf. Mir war völlig unklar, wie ich da jemals hinaufkommen würde. Ganz oben konnte ich den blauen Himmel sehen. Wir waren jetzt schon seit vier Stunden in der Wand.

»Ich geh voraus!«, rief Giorgio. »Schau genau zu, was ich mache, und komm nach, wenn ich dich rufe!«

Giorgio stieg fast mühelos den Kamin hinauf. Einen Fuß hatte er links, den anderen rechts am Fels. Ich dachte an meine schmerzenden Beine. Das würde ich nie schaffen. Mein Herz klopfte bis zum Hals.

»Jetzt!« Giorgios Stimme hallte zwischen den Felswänden. Mit zitternden Händen suchte ich nach Griffen, fand sie, zog mich hinauf, spreizte meine Beine. Es ging tatsächlich, ganz langsam zwar, aber ich kam vorwärts. Beinahe hatte ich Giorgio schon erreicht, als mich plötzlich meine Kräfte verließen. Ich konnte nicht weiter. Der dunkle Kamin erschien mir wie ein Falle. Liebe Schlernhexen, dachte ich. Bitte helft mir, falls ihr tatsächlich in diesem schrecklichen Kamin wohnt!

Giorgio sah sofort, was los war.

»Halt dich fest und such Griffe! Ich zieh dich rauf!«, sagte er mit ruhiger Stimme.

Das Seil straffte sich und wie von Zauberhand wurde ich nach oben gezogen. Dann stand ich neben ihm auf festem Grund in einer Nische des Kamins.

»Gut gemacht!«, sagte er.

»Ich hab überhaupt nichts gemacht!«, keuchte ich. »Du hast mich raufgezogen!«

»Ohne deine Hilfe hätte ich das nicht geschafft!«, erwiderte Giorgio und lächelte. »Jetzt schauen wir mal, was unser dritter Mann macht.«

Sorgfältig sicherte er Peter, der nun ebenfalls in den Kamin einstieg. Peter versuchte es zunächst im Spreizgang, doch nach einer Weile erschien ihm das zu mühsam.

»Ich geh über die rechte Wand!«, rief er herauf und seine Stimme hallte geisterhaft.

»Lass das!«, rief Giorgio zurück. »Es ist gefährlich. Die Griffe sind schlecht und die Wand hängt über!«

Doch Peter hörte nicht auf ihn. Schnell kletterte er an der dunklen Wand höher, überquerte eine schräge Steinplatte und näherte sich dem Überhang. Giorgio schlang das Seil mehrmals um einen Felsen.

»Dieser eigensinnige Depp!«, murmelte er.

Ich starrte nach unten. Peters Hand erschien am Überhang, dann tauchte sein Kopf auf. Im nächsten Augenblick hörte ich einen Schrei. Kopf und Hand verschwanden. Giorgio hängte sich mit seinem ganzen Gewicht ins Seil. Entsetzt sah ich, wie Peter auf dem Bauch über die Steinplatte rutschte. Erst kurz vor dem nächsten Felsabbruch wurde er vom Seil gehalten.

»Ist dir was passiert?«, schrie Giorgio.

Es blieb still im Kamin.

»He, wach auf!«, rief Giorgio.

»Ist schon gut!«, drang Peters Stimme leise zu uns herauf. »Mein Bauch hat ein paar Bremsspuren. Sonst ist nix passiert!«

»Jetzt hat er den Dreck!«, brummte Giorgio.

»Ich komm jetzt!«, rief Peter.

Diesmal wählte er den Weg, den auch wir genommen hatten. Fünf Minuten später stand er neben uns. Giorgio hatte auch ihn zuletzt heraufgezogen. Peter war sehr blass, sein Hemd zerrissen und blutbefleckt. Schwach grinsend hob er die Hemdzipfel und zeigte seinen Bauch. Tiefe Kratzer und Schürfwunden zogen sich von der Brust bis weit über den Bauchnabel. Ich wollte Verbandszeug aus dem Rucksack holen, doch Peter winkte ab.

»Das machen wir ganz oben«, sagte er. »Ich will aus diesem finsteren Loch heraus!«

»Hast du vielleicht ein Kichern gehört?«, fragte Giorgio und grinste. »Oder ist dir der Teufel erschienen?«

»Ach, du mit deinen Schlernhexen ...« Peter wandte sich um und wollte weiterklettern.

Doch Giorgio fasste ihn an der Schulter.

»Du bist Nummer drei!«, sagte er, löste das Seil vom Felsen und stieg weiter hinauf. Der Kamin wurde jetzt breiter und das Steigen weniger beschwerlich. Es dauerte nur ein paar Minuten, bis wir das Ende des Westgrats erreicht hatten. Es war seltsam, denn wir stiegen aus dem Kamin über eine Kante und dann breiteten sich die Almwiesen des Schlernplateaus vor uns aus.

Peter setzte sich etwas abseits und begann seine Wunden zu verarzten. Hilfe lehnte er ab.

»Er ist sauer«, erklärte Giorgio. »Seine männliche Ehre ist verletzt, weil er abgerutscht ist und nicht du.«

Wir standen nebeneinander und schauten in den Kamin hinunter. Der Wind blies in die Spalten und Felshöhlen.

Giorgio legte den Arm um mich. Ganz vorsichtig übrigens. »Ich bin stolz auf dich«, sagte er leise. »Du bist wirklich sehr mutig.«

»Aber ich hatte auch Angst«, antwortete ich. »Sogar eine ganze Menge!«

»Aber das ist ja mutig«, sagte Giorgio. »Wer zugeben kann, dass er Angst hat, der ist mutig. Übrigens ...« Er schaute mich aus seinen hellen Augen ernst an. »... hast du an die Schlernhexen gedacht, als du nicht mehr weiterklettern konntest?«

Ich nickte.

»Ich hab sie sogar um Hilfe gebeten«, murmelte ich.

»Gut!«, sagte Giorgio – sonst nichts.

Danach packten wir unsere Brotzeit aus und bewunderten die Aussicht über Hunderte von Dolomitengipfeln. Der Abstieg war weniger dramatisch, und als ich am Abend ins Dorf zurück kam, fühlte ich mich stolz und glücklich.

Giorgio blieb über viele Jahre mein bester Freund. Ich werde ihn nie vergessen und auch die Schlernhexen nicht.

Marlies Bardeli

Bunte Steine

Oh, wie habe ich mich darauf gefreut, mit Mama, Papa und Judith die Sommerferien auf Teneriffa zu verbringen! Zum ersten Mal in meinem Leben werde ich eine südliche Insel sehen mit Palmen, Bananenplantagen und Strand.

Wie aufregend ist es auf dem Flugplatz! Papa guckt immer wieder nach, ob er auch unsere Tickets eingesteckt hat.

»Und die Ausweise? Habt ihr sie griffbereit?«

Ja, ja, haben wir.

Ich bin ganz zappelig vor Freude. Judith holt den kleinen Spiegel aus ihrer Handtasche und zieht sich die Lippen nach. Mama unterhält sich mit einem korpulenten Herrn, der auch nach Teneriffa reisen will. Er erzählt ihr von seinem Kiosk in Hamburg, der jetzt vertretungsweise von seinem Bruder Albert geführt wird.

»Er ist zwar etwas, wie soll ich sagen, schwerfällig, aber ich hoffe, er schafft es trotzdem.«

»Ich bin ganz sicher«, sagt Mama.

Woher weiß sie das denn? Sie kennt Albert doch gar nicht!

»Führen Sie auch Tabakwaren?«, fragt Mama den Herrn.

»Nein, mit Zeitschriften und Souvenirs habe ich genug zu tun«, antwortet er.

Papa geht unruhig in der Halle auf und ab, ständig die Leuchtanzeige der Abflugtermine im Blick. Die Frau dort hinten zupft an ihrer Bluse und der Mann neben ihr liest in einer Wirtschaftszeitung.

Ich bin noch nie zuvor geflogen. Bisher haben wir immer Urlaub an der Nordsee gemacht. Mama und Papa sind der Meinung, dass man nur fliegen soll, wenn man unbedingt muss. Wegen der Umweltbelastung und weil man die Achtung vor der Erde verliert, wenn man sie wie einen Ausflugsplatz benutzt.

Diese Flugreise ist eine Ausnahme. Wir müssen zwar nicht unbedingt nach Teneriffa, wir haben es uns einfach gestattet. Wegen unserer Seelen. Die brauchen nach einem langen Winter und Frühling unter norddeutschem, oft verhangenem Himmel einmal einen sonnigen Sommer.

»Zum Ausgleich werden wir die nächsten Ferien wieder in einer nahe gelegenen Region verbringen«, hat Papa gesagt, »im Teufelsmoor, in der Lüneburger Heide oder in der ehemaligen DDR.«

»Der Abflug nach Teneriffa verzögert sich um eine halbe Stunde«, ertönt eine Stimme aus dem Lautsprecher.

All die wartenden Leute. Sie seufzen und schauen auf die Uhr. Welche Energieverschwendung. Wie wäre es, wenn sie, statt trübe vor sich hin zu schauen, Eimer und Schwämme nähmen und die Flughafenfenster putzten? Judith würde es ablehnen und Papa wohl auch. Aber Mama und ich würden mitmachen, Mama aus Gutmütigkeit und ich aus Spaß am Kuriosen.

Doch wir müssen nicht putzen. Bald schon fliegen wir schneller als der Wind über Deutschland hinweg, dann über Frankreich. Irgendwo dort unten liegt Paris.

Kurz darauf sind wir über dem Meer. In rasendem Tempo überqueren wir die Erde. Der Fischer dort unten sieht nur den Kondensstreifen von uns und eine Bäuerin auf Madeira hebt den Kopf und denkt: »Diese Flugzeuge. Es werden immer mehr.« Dann hockt sie sich nieder und jätet das Wildkraut.

128

Auf Teneriffa empfangen uns flirrende Hitze und eine wüstenähnliche Landschaft. Wir nehmen uns ein Mietauto und fahren die Autostrada Richtung Norden. Das Land sieht aus wie eine große, verlassene Baustelle. Jemand hat in Sand und Felsen gewühlt und vergessen, Ordnung zu machen. Aber das Meer ist dunkelblau und Vögel tauchen in der Gischt.

Links von uns erhebt sich der Teide, ein mächtiger, erkalteter Vulkan. Sein Gipfel liegt im Dunst. An den Hängen wachsen einzelne schmächtige Palmen.

Je weiter wir nach Norden kommen, desto schöner wird die Insel. In Santa Maria del Mar müssen wir aufpassen, denn gleich geht es links ab in Richtung La Laguna. Das Land ist dicht besiedelt, die Häuser sind wahllos durcheinander gewürfelt.

Wir fahren an der Küste entlang und eine herrliche Bucht nach der anderen tut sich auf. Überall blüht es, die Gärten sind in Terrassen angelegt.

Unsere Wohnung ist neben vielen anderen in die Felsen gehauen. Unserem Blick zeigt sich nichts anderes als Meer. Nachts strömt und wogt es im eigenen Rhythmus, manchmal so mächtig, dass man fast Angst bekommt, tagsüber glänzt es im Licht und Seeadler suchen nach Beute. Die Schifffahrtslinie verläuft woanders und bis Grönland ist nichts vor uns außer Wasser.

Ich würde am liebsten nur auf der Terrasse sitzen und schauen. Manchmal kann man in der Ferne die Tümmler springen sehen, sagen die Leute. Aber Judith möchte an den Strand, Mama drängt zum Aufbruch und Papa sucht seine Sonnenbrille.

Kein feiner, weißer Sand. Und nirgends eine Muschel. Der Strand ist schwarz und verbrennt die Fußsohlen. Dort unter der Palme ist ein wenig Schatten. Wir drücken die

Sonnenhüte tief ins Gesicht. Ein Gecko huscht vorbei und verschwindet in einer Felsspalte.

Papa versucht zu schwimmen, aber eine mächtige Welle wirft ihn um. Er rappelt sich hoch und watet vorsichtig an den Strand zurück. Mama steckt die Zehen ins Wasser. Hier ist es ganz seicht. Doch die nächste Woge hat Riesenkraft und zieht Mama mit sich. Sie taucht wieder auf und hat Wasser geschluckt. »Macht nichts«, sagt sie und lacht. Aber dann geht sie vorsichtig ein paar Schritte zurück und setzt sich neben Papa in den schwarzen Sand.

Judith reckt sich in ihrem roten Badeanzug und beugt sich zu einer kleinen Welle hinunter. Sie benetzt Arme und Brust, legt sich ins Wasser, schwimmt hinaus aufs Meer und keine Welle tut ihr was.

Ich mache es ihr nach. Doch schon werde ich umgeworfen und dicke Steine sind dazwischen. Einer schlägt gegen mein Schienbein. Das gibt sicher einen gehörigen blauen Fleck.

Ich ergreife die Flucht. Dort hinten schwimmt Judith im glitzernden Wasser. Das Meer scheint sie zu bevorzugen.

Papa und ich gehen ins Strandlokal. Er bestellt für sich ein Bier und für mich Kirschen auf Eis. Am Nachbartisch sitzt ein Ehepaar, das kein Wort miteinander redet. Dort hinten lehnt eine Frau mit blondierten Haaren und der Kellner zerbricht ein Glas. »Lass uns wieder zu Mama und Judith gehen«, sagt Papa.

Mama wollte nicht mitkommen, sondern unter der Palme sitzen bleiben und Thomas Mann lesen. Aber die Palme ist zu klein, um für Thomas Mann genug Schatten zu spenden. Und Mama hat anderes zu tun. Sie hat ein Handtuch um die Hüften geschlungen.

»Der Badeanzug ist kaputt«, sagt sie kleinlaut. »Ich bin zu dick geworden. Nun ist die Seitennaht geplatzt.«

»Macht nichts«, sagt Papa.

»Lieb von dir«, sagt Mama, »aber es macht doch etwas. Vor allem schäme ich mich so.«

»Brauchst du nicht«, sagt Papa.

»Tue ich aber«, sagt Mama.

Und Judith? Sie schwimmt immer noch im Meer und keine Welle verletzt sie. Zwei junge Männer schwimmen neben ihr, der eine links und der andere rechts.

»Ich muss Nähseide kaufen«, sagt Mama.

»Wofür?«, fragt Papa.

»Na, mein Badeanzug!«, sagt Mama.

»Wir kaufen einen neuen«, sagt Papa.

»Kommt nicht in Frage«, sagt Mama.

Abends sitzen wir in Puerto de la Cruz unterm Sternenhimmel, obwohl man wegen der Straßenbeleuchtung nicht viel von ihm sieht. Wir essen kleine, in Salzwasser gekochte Pellkartoffeln und tunken sie in grüne Kräutersoße ein. Ich bin voll gefüllt mit Meeresgeruch und Sonnenschein. Dort hinten steht ein Mann und singt für Geld. Drüben verkauft jemand Leuchtjojos. Drei kleine Mädchen balancieren auf einer Mauer wie auf einem Laufsteg und präsentieren ihre Kleider. Am Ende der Modenschau machen sie einen Knicks und verbeugen sich vor einem nur in ihrer Vorstellung vorhandenen Publikum.

Spät noch sitzt Mama im Wohnzimmer unserer Ferienwohnung und näht an ihrem Badeanzug.

Nachts höre ich nur Judiths Atemzüge und das Meer. Es ist nicht sanft und freundlich, sondern zeigt seine Macht und nimmt mich hinein in sein Wiegen. Ich bleibe wachsam und schlafe nur ein bisschen.

Am nächsten Morgen freue ich mich über das Licht, laufe im Nachthemd auf die Terrasse und beuge mich über die Brüstung. Unten schwappt das Wasser gegen die Felsen.

Dies ist kein Postkartenmeer, das als Motiv auf Urlaubsfotos dient, sondern eine gewaltige Naturerscheinung, und ich stehe voller Staunen davor.

Papa kommt mit einem Weißbrot und einer Flasche Milch herein. Er wischt sich über die Stirn. »Schon so heiß am frühen Morgen!«, stöhnt er.

Wir decken den Frühstückstisch auf der Terrasse. Judith rekelt sich in der Sonne und gähnt. Papa genießt seinen Kaffee. Ich bestreiche eine Scheibe Weißbrot mit Butter und Marmelade und Mama isst nur eine Grapefruit.

»Warum denn das?«, fragt Papa.

»Na ja, einmal muss ich schließlich anfangen abzunehmen«, antwortet Mama.

»Aber doch nicht gerade in den Ferien!«, ruft Judith.

»Leider doch«, sagt Mama.

Wie konsequent sie plötzlich ist!

Nachmittags fahren wir ein bisschen über die Insel. Papa traut sich zunächst nur die Küstenstraße entlang.

»Die schmalen Bergserpentinen hebe ich mir für später auf«, sagt er.

Das Mietauto ist ihm noch fremd und an die temperamentvolle Fahrweise der Einheimischen muss er sich erst gewöhnen.

Einmal halten wir an und Judith und ich pflücken uns ein paar Bananen. Sie hängen in vollen Stauden über einer alten Mauer, sind klein und schmecken sehr süß. Dazwischen blüht die Bougainvillea, der Norden Teneriffas ist von ihr übersät. Und als habe es der Regisseur der Insel so gewollt, wachsen verschiedene Rottöne nebeneinander, blaurot neben orangerot, eigentlich feindliche Farben.

Wenn ich Bürgermeisterin von Teneriffa wäre, würde ich die Bougainvilleas nach Farben sortieren und einen

Hang lilarot, den anderen orangerot leuchten lassen. Aber vielleicht ist es ganz gut, dass ich nicht Bürgermeisterin von Teneriffa bin.

Gegen Abend entdecken wir eine neue Badebucht, Playa del Socorro genannt. Sie strahlt in so schönem Licht, wie ich es bis jetzt noch nie gesehen habe.

Wir suchen lange nach einem Parkplatz und laufen dann einen weiten Hang hinab. An diesem Strand gibt es keine Palmen oder vereinzelte Felsen, die Schatten spenden könnten. Die Menschen liegen oder sitzen eng nebeneinander. Ein Mann mittleren Alters führt seinen blinden Vater am Rande des Meeres spazieren. Eine braunhäutige Frau im roten Rock spielt mit ihren Kindern Ball. Drüben sind die Surfer und zeigen ihre Kunststücke. Nicht alles ist meisterhaft. Es sind viele Anfänger und Clowns darunter.

Mama setzt sich in den Sand. Sie zieht ihr Kleid gar nicht erst aus und betrachtet die Leute. Papa krempelt die Hosenbeine hoch und prüft die Wassertemperatur mit den Zehen. Judith läuft in ihrem roten Badeanzug ins Meer hinein und schon sind drei, vier Surfer um sie herum.

Ich fühle mich sehr klein. Soll ich mich trauen zu schwimmen? Nachher kommen wieder diese Steine. Ich spiele lieber ein bisschen mit den auslaufenden Wellen und schon diese haben eine große Kraft. Dann kneife ich die Augen ein wenig zusammen und sehe durch die Wassertropfen in meinen Wimpern das gebrochene Licht.

Auf einem Kirchplatz sitzen fünf kanarische Frauen nebeneinander und essen Eis. Sie schauen ihren Kindern zu, die um eine Palme herumjagen. Drüben lockt ein Mann aus dem Loro-Park die Leute mit zwei Papageien, die zahm auf seinen Schultern sitzen.

Die Glocken läuten. Aus der Kirche kommt eine Hoch-
zeitsgesellschaft: das Brautpaar, die Eltern, Brüder,
Schwestern, Onkel, Tanten und Freunde. Sie lassen sich
fotografieren. Ob das Brautpaar glücklich ist, kann man
nicht erkennen.

Nachmittags sind wir am Strand und wieder ist es eine
neue Bucht. Die Hänge darüber sind voller Bananenstau-
den. Dort vor dem Haus wachsen orangefarbene Strelit-
zien.

Der Strand ist winzig und der Sand so heiß. Mama lässt
ihren Thomas Mann gleich in der Tasche. Den Badeanzug
hat sie notdürftig repariert. Papa geht ein Bier trinken.
Judith schreibt Ansichtskarten.

Es sind fast nur einheimische Frauen mit ihren Kindern
hier. Die Männer sind zur Arbeit gegangen. Die Touristen
ziehen den Süden der Insel vor, denn dort gibt es weißen
Strand zum Baden und Surfen und Hotelkästen mit Dis-
kotheken. Hier findet man zwar nur kleine schwarze
Strände, aber die Landschaft ist frisch und grün im Ge-
gensatz zum wüstenähnlichen Süden.

Judith möchte lieber wieder an den Strand von vorges-
tern. Dort hat sie einen gewissen jungen Mann gesehen.
Sie flüstert es mir zu.

»Ich werde dich unterstützen«, flüstere ich zurück,
obwohl ich es gar nicht richtig will.

Doch vorher müssen wir Papas Mut ausnützen wie eine
plötzlich entstandene Energiequelle. Er traut sich in die
Berge und fährt mit uns zum Teide hoch.

Wir durchqueren mehrere Vegetationszonen der Insel,
Hänge mit Wein, Kiefernwälder, eine dürre Kakteenland-
schaft. Schließlich erreichen wir den Krater des Vulkans.
Hier gibt es seltsame Formationen aus Lavagestein.

Wir halten an und Judith und ich laufen herum. Papa

raucht eine Zigarette und Mama hält ihr Gesicht in den Wind. Judith hopst in eine Mulde. Plötzlich bekomme ich Angst um sie. Nachher mag der Berg sie so gern wie das Meer und fängt an, Feuer zu spucken aus lauter Freude über ihre Anwesenheit.

»Judith!«, rufe ich.

»Was hast du denn?«, fragt Mama.

»Lasst uns weiterfahren!«, sage ich.

Abends sind wir noch ein bisschen an Judiths Wunschstrand. Doch der junge Mann ist nicht da.

»Vielleicht ist er schon im Hotel«, sage ich.

»Vielleicht ist er auch schon abgereist«, sagt Judith traurig.

Aber schon ein paar Minuten später lernt sie einen anderen jungen Mann kennen. Er kommt aus Deutschland und heißt Gerhard Greibaum. Er holt einen Block und einen Stift hervor und zeichnet Judith von der Seite. Ob sich wohl auch einmal jemand findet, der mich zeichnet? Ich glaube es kaum.

Nachts träume ich, Judith heiratet Prinz Charles von England und die Presse ist um sie herum. Dort hinten steht Lady Di und schaut resigniert und anerkennend zugleich auf Judith. Papa bringt ihr ein Glas Sekt, um sie zu trösten. Dort drüben unterhält sich Mama mit Thomas Mann und ich bin mitten unter ihnen, unsichtbar wie ein Geist. Gerade geht jemand durch mich hindurch, ohne es zu merken. Auch der Kellner mit dem Tablett sieht mich nicht und streift meinen Arm. Ich spüre es, aber er anscheinend nicht. Ein Reiter auf einem braunen Pferd mit Federschmuck reitet geradewegs auf mich zu. Ich schaue ihm entgegen und weiche nicht aus. Wozu auch? Bin ich doch nichts weiter als ein körperloses Wesen mit schwerwiegenden Gedanken.

Am nächsten Tag will Papa ins Orotava-Tal fahren. Dort soll es herrlich sein. Man nennt es den Weingarten Teneriffas. Aber Mama ist müde und möchte unter irgendeiner Palme sitzen und lesen und Judith möchte an ihren Lieblingsstrand. Mir ist es egal.

Wir fahren zu Judith Lieblingsstrand. Mama leiht sich einen Sonnenschirm und hat nun genug Schatten für die Buddenbrooks. Papa dreht sich auf den Bauch, um eine Runde zu schlafen, und Judith cremt sich ein. Und als habe sie eine magnetische Ausstrahlung, wenden sich ihr die jungen Männer von allen Seiten zu. Sie steht auf und schon erhebt sich dort hinten einer, um ihr zu folgen. Auch der von links geht hinterher und der dort drüben beeilt sich besonders.

Mama liest. Papa schläft. Pärchen liegen nebeneinander. Familien haben mit sich selbst zu tun. Dort reden zwei Freundinnen miteinander. Und die alte Frau drüben hält Händchen mit einem alten Mann. Nur ich bin allein.

Nein, halt. Auf der Promenade stehen vereinzelte Bänke und auf jeder Bank sitzt jemand ganz für sich. Die sind auch allein. Aber das ist kein Trost.

»Spielst du mit mir Beachball, Papa?«

»Ach, lass mich doch schlafen!«

»Und du, Mama?«

»Es ist gerade so spannend. Nachher vielleicht.«

Ich gehe ins Strandlokal und hole mir Kirschen auf Eis an der Selbstbedienungstheke. Vielleicht gibt es hier irgendwo einen Tisch, an dem ein nettes Mädchen oder ein netter Junge sitzt und sich über meine Gesellschaft freut. Doch jeder Gast scheint einen Partner oder eine Familie zu haben und sich angeregt zu unterhalten. Bis auf das Ehepaar, das Papa und ich neulich schon gesehen haben. Auch heute sprechen sie kein Wort miteinander.

Ich esse meine Kirschen im Stehen. Dann spiele ich Beachball mit mir selbst. Jede Hand hält einen Schläger und der Ball fliegt in hohem Bogen hin und her. Es ist nicht leicht und ich komme ins Schwitzen dabei.

Abends fahren wir ins Orotava-Tal. Papa möchte an jeder Wegbiegung anhalten und die Landschaft betrachten. Überall wächst Wein. Wir finden ein kleines Lokal. Ein dünner weißer Hund sitzt vor der Tür und bellt uns an. Der Wirt kommt und verscheucht ihn. Wir essen Tapas. Das sind verschiedene kleine, mit Sorgfalt zubereitete Inselspezialitäten. Mama gibt sich nur ganz wenig auf den Teller wegen ihrer Schlankheitskur. Judith geht dreimal zur Toilette und zieht sich die Lippen nach. Aber dafür ist sie auch die Schönste im ganzen Lokal.

Am nächsten Tag sind wir wieder an Judiths Lieblingsstrand. Papa versucht eine spanische Zeitung zu entziffern und Mama liest die Buddenbrooks. Ich locke einen Gecko mit Kartoffelchips aus einer Felsspalte hervor. Er huscht pfeilschnell ins Licht, knabbert an einem Chipsstückchen und verschwindet wieder in der kühlen Sicherheit. Ich werfe ein paar Chips in die Felsspalte hinein. Guten Appetit, lieber Gecko. Bevor ich abreise, werde ich dir eine ganze Tüte spendieren. Versprochen.

Dort hinten sitzt Judith neben Gerhard Greibaum im Sand und lässt sich schon wieder zeichnen. Und ich sitze hier neben Mama und Papa und einem Gecko und bin uneins mit mir selbst. Ich mag mich nicht mehr leiden und finde vierzehn Jahre ein abscheuliches Alter. Es ist wie ein Fieber über mich gekommen, seit wir auf Teneriffa sind. Ob es das Klima ist oder das helle Licht, das alles an den Tag bringt? Und dieses Fieber wird immer schlimmer. Man könnte es auch als Eifersucht bezeichnen. Ich vergleiche mich mit Judith und komme schlecht dabei weg.

»Na, Kleine?«, sagt Mama plötzlich neben mir. »Hast du Kummer?«

»Weshalb sollte ich?«

»Dein Gesicht spricht Bände.«

»Ist doch egal. Und was interessiert's dich eigentlich? Ich denke, du liest Thomas Mann.«

»Zu anstrengend bei der Hitze«, sagt Mama. »Und außerdem passt der irgendwie nicht zu Teneriffa. Eher zu unserem heimatlichen Norden. Ich wette, auf Teneriffa wäre ihm kein Wort eingefallen.«

»Mir geht es ähnlich«, sage ich. »Ich kann auf dieser Insel auch keinen vernünftigen Gedanken fassen.«

»Nun übertreib mal nicht!«, sagt Mama. »Wollen wir Beachball spielen?«

»Keine Lust.«

»Aber gestern wolltest du doch!«

»Heute eben nicht.«

Ich betrachte Mamas Beine. Auf ihren Oberschenkeln zeigen sich lauter verästelte Adern wie dünne Flüsse auf einer Landkarte. Hab ich noch nie zuvor bemerkt. Dieses Teneriffa bringt alles an den Tag.

Ich schaue mich um. Die Frau dort drüben hat auch solche Adern auf den Oberschenkeln, nur viel schlimmer. Und die da hinten hat ein Doppelkinn. Aber der Mann neben ihr ist auch nicht gerade hübsch. Er hat einen viermal gewellten Bauch und spärliche Haare. Der Sohn sitzt daneben, löst Kreuzworträtsel und trinkt Limonade. Bei jedem Schluck springt sein übergroßer Adamsapfel hinauf und hinunter. Die Tochter trägt einen mauseschwanzdünnen Zopf. Sie träufelt gerade etwas Sonnenöl auf ihre rot verbrannten Arme. Der Mann dort hinten liegt auf dem Rücken und schnarcht laut. Ich bestaune seinen mächtigen nackten Bauch, der sich beim Einatmen weithin sichtbar wölbt und dehnt und beim Ausatmen wieder in sich zusammensinkt.

»Alles Charakterköpfe«, sagt Mama, die meinem Blick gefolgt ist. Ich fühle mich ertappt und wir müssen beide lachen.

Ein Regisseur würde vielleicht eher diese Leute für sein Theaterstück auswählen als Judith. Judith könnte für eine Parfumfirma im Werbefernsehen auftreten. Und ich? Vielleicht könnte irgendjemand sogar mich gebrauchen: viel zu dünn, aschblondes Haar, schmalbrüstig.

Mama betrachtet immer noch die anderen Menschen am Strand.

»Die Vögel singen nicht egal«, sagt sie plötzlich, »der eine laut, der andre leise. Kauz nicht wie ich, ich nicht wie Nachtigall. Ein jeder hat so seine Weise.«

»Ist das von dir, Mama?«, frage ich, denn sie dichtet manchmal.

»Nein«, antwortet sie, »von Matthias Claudius. Wollen wir ein bisschen ans Wasser gehen?«

Ich atme tief auf. Dann schlucke ich zweimal. Ich nehme mir vor, etwas gegen das lästige Fieber zu tun statt herumzusitzen und mich selbst zu bemitleiden, eigentlich ohne Grund.

Und während ich neben Mama hergehe, werden meine Schritte leicht. Einmal fangen die Füße sogar wie von selbst an zu hüpfen. Vielleicht nur, weil der Sand so heiß ist, vielleicht aber auch, weil die Insel und der Sommer es nicht zulassen, dass ich traurig bin.

Mama setzt sich in die auslaufenden Wellen. Ich ziehe mit meinem großen Zeh Linien in den feuchten Sand. Die werden gleich wieder fortgespült. Jetzt male ich ein Schlangenmuster. Auch das wird sofort vom Wasser verwischt. Ich hocke mich nieder und versuche mit den

Fingern einen Delphin zu zeichnen, ehe eine Welle ihn überrollt.

Da glitzert etwas im Sand, doch bevor ich es greifen kann, hat das Wasser es verdeckt. Jetzt schwappt die Welle zurück. Dort ist es wieder. Und daneben ein zweites! Diesmal greife ich zu, bevor das Wasser kommt.

Es sind zwei grün funkelnde Steine. Sie sehen beinahe aus wie Flaschenscherben, deren scharfe Kanten vom Meer rund geschliffen worden sind. Ich bücke mich wieder. Ob ich noch so etwas finde? Dort leuchtet es milchig weiß. Ein wunderschöner, herzförmiger Stein. Und hier? Das ist doch ganz sicher ein Stückchen Koralle!

Es ist, als wolle die Insel mir etwas schenken. Überall sehe ich es nun funkeln. Ich laufe zu unserem Strandplatz und suche nach einem Behälter zum Sammeln.

»Warum so hastig?«, fragt Papa, den ich beim Schlafen störe.

»Bin schon wieder verschwunden!«, rufe ich und laufe mit einer Plastiktüte davon.

Und wieder habe ich Glück. Immerzu muss ich mich bücken und blitzschnell sein, damit die Wellen mir nicht zuvorkommen. Ich finde hellgrüne, dunkelgrüne, weiße und gelbe Steine. Die meisten sind sehr klein. Ein leuchtend blauer ist darunter. Er ist der schönste.

»Was machst du denn da?«, fragt Mama.

»Guck mal!«, sage ich und zeige ihr meinen Fund.

»Oh, wie wunderschön!«, ruft sie aus. »Das müssen Halbedelsteine sein.«

»Glaube ich auch«, sage ich und suche weiter. Und Mama tut es mir gleich.

Einige Leute bleiben stehen und wollen wissen, wonach wir suchen. Auch Judith und Gerhard Greibaum kommen herbei, bestaunen meine Entdeckung und suchen mit. Das Mädchen mit dem mauseschwanzdünnen Zopf gesellt sich zu uns und findet einen großen grünen Stein.

»Was ist denn hier los?«, ruft Papa, der wohl endlich ausgeschlafen hat.

Wir zeigen ihm unsere Steine. Er nimmt einige davon in die Hand, hält sie ins Licht und betrachtet sie kritisch. Dann sagt er: »Das ist doch nichts anderes als Glas. Macht euch nichts vor!«

»Perdone, Señor, ich habe gehört, was Sie gesagt haben. Darf ich einmal sehen?«, fragt ein Junge, der interessiert stehen geblieben ist.

»Aber sicher«, sagt Papa und hält ihm unseren Fund hin.

»Dies ist kein Glas, Señor. Es sind Halbedelsteine, die wir auf Teneriffa manchmal finden. Darf ich erklären?« Und Carlos, so heißt der Junge, benennt die einzelnen Steine. Die grünen und gelben sind Aventurine, die weißen Bergkristalle, die hellgrünen chinesische Jade und die blauen Sodalithe. Ich habe eine der wenigen Stellen gefunden, an denen es solche Kostbarkeiten gibt, und bin stolz darauf.

Carlos bleibt bei uns und sucht mit.

»Wohnst du hier?«, frage ich.

»Ich bin hier geboren«, antwortet er.

»Und weshalb sprichst du so gut Deutsch?«, frage ich.

»Habe ich auf der Schule in Santa Cruz gelernt«, antwortet er und fischt ein Stück Koralle aus dem Wasser.

»Hier, schenke ich dir.«

Jeden Tag suche ich nun Steine am Strand. Die meisten sind winzig klein, ein Juwelier könnte nichts damit anfangen. Darum werde ich sie wohl behalten dürfen. Die schönen großen Steine darf ich sicher nicht einfach mit nach Deutschland nehmen. Aber das macht nichts. Es geht mir nicht darum, die Steine zu besitzen, sondern sie zu finden. Am Ende der Ferien wird Carlos mich zu einem Amt begleiten, wo man entscheidet, welche Steine ich behalten darf und welche nicht. So haben wir es ausgemacht.

Manchmal suchen Judith und ihre jungen Männer mit, manchmal ist Mama dabei oder das Mädchen mit dem mauseschwanzdünnen Zopf. Es heißt Jennifer und ist Engländerin. Jennifer macht hier Urlaub wie ich. Sie ist eigentlich ganz nett. Und immer wieder kommt Carlos vorbei, schaut sich an, was ich gefunden habe, und übt mit mir Spanisch.

Papa schaut lieber von weitem zu und hat seine Ruhe.

»Ich lege nun einmal keinen Wert auf solche Dinge«, sagt er. »Überdies kann ich meinem Rücken nicht zumuten, sich ständig zu bücken.«

Als Mama, Carlos und ich einmal gerade beim Suchen sind, geht ein Herr vorüber, der mir bekannt vorkommt. Er entdeckt Mama, macht kehrt und ruft ihr zu: »Na, gnädige Frau, wie geht's denn so?«

»Danke der Nachfrage«, antwortet Mama. »Mir geht's gut. Und Ihnen?«

»So leidlich. Man kommt innerlich nicht los vom Geschäft.«

Jetzt weiß ich, wo ich den Herrn schon einmal gesehen habe! Es war auf dem Hamburger Flughafen in der Wartehalle. Dass ich nicht gleich darauf gekommen bin! Der Herr sieht in der Badehose eben doch ein wenig verändert aus.

»Dann müssen Sie sich einen Ruck geben«, sagt Mama. »Wäre doch schade um die schönen Ferien. Oder sind Sie etwa unzufrieden mit Albert?«

»Das nicht. Er macht seine Sache erstaunlich gut«, antwortet der Herr.

»Wie ich es gesagt habe!«, ruft Mama.

Als ob sie Albert kennen würde. Typisch Mama.

»Seien Sie nicht dumm. Genießen Sie den Sommer!«, redet sie weiter.

»Sie haben sicher Recht, gnädige Frau«, antwortet der Herr, verbeugt sich ein wenig, wobei er den rechten Fuß schräg hinter den linken setzt, »von heute an werde ich es tun.« Dann geht er davon.

»Glaubst du, dass er es schafft?«, fragt Carlos.

»Sicher«, sage ich. »Die Insel und der Sommer werden schon dafür sorgen.«

Sigrid Laube

Wenn George nicht gewesen wäre

»Und das«, sagte Mrs Allen stolz, »sind die Zwillinge. George und Janet, sagt Sandra guten Tag, sie wird sich die nächsten Wochen um euch kümmern.«

Die Sonne brannte auf den englischen Garten nieder, spiegelte sich in den Fenstern des großen Hauses und prallte von den hellen Mauern ab. Sandra spürte Schweißtropfen an der Stirne und den Schläfen, ihr Kleid klebte an ihrem Körper.

Bis jetzt war alles gut gegangen, der Flug nach London war pünktlich gewesen, den Zug nach Brighton hatte sie gefunden, ihr Englisch war ausreichend gewesen und sie war nicht verloren gegangen. Nur wer wagt, gewinnt, hatte sie sich vor wenigen Monaten gedacht und sich um die in der Zeitung ausgeschriebene Au-pair-Stelle in England beworben. Von einem großen Haus am Meer war da die Rede gewesen, von zwei Kindern und von geregelter Arbeitszeit. An weite Strände hatte Sandra gedacht, an wilde Wellen und an salzige Luft. Und dann hatte sie sich beworben. Sie hatte die Stelle bekommen, vielleicht, weil das von ihr gesandte Foto so sympathisch war oder weil sich sonst niemand beworben hatte.

Sandras Vater war einverstanden gewesen, er sprach von Taschengeld und Englischkenntnissen, und Sandras Mutter hatte nichts dagegen gehabt, sie sprach von Selbstständigkeit und Eigenverantwortung. Und was es im Endeffekt bringen oder werden würde, war Sandra damals egal. Sie brauchte einfach einen Tapetenwechsel.

»Yuk, ich hasse Mädchen«, hörte Sandra jetzt. Sie stellte die Reisetasche auf den Kiesweg, wischte sich über die Stirn und bückte sich. Da stand breitbeinig ein kleiner Junge, er hatte die Hände in den Hosentaschen vergraben, eine schmutzige Nase und blitzblaue Augen blickten Sandra trotzig an.

»Ich nehme an, du bist George«, sagte sie höflich und wollte ihm die Hand reichen. Aber er behielt seine Fäuste tief in den Taschen versenkt und wippte nur wortlos auf den Fußballen hin und her.

»George, du Ekel. Sie kann ja nichts dafür«, kam es von Janet, die sich neben George aufgestellt hatte. »Du musst entschuldigen«, fügte sie dann hinzu und lächelte Sandra entwaffnend an. »Er glaubt, er ist was Besseres, weil er drei Minuten älter ist als ich.«

»Bin ich auch«, kam es im Brustton der Überzeugung aus dem Knirps. »Ich meine älter – und natürlich besser. Und ein Junge obendrein.«

Herausfordernd hob er den Kopf und blinzelte ins Nachmittagslicht.

Nun hielt Sandra ihre Hand dem Mädchen hin.

»Und du bist Janet?« Etwas Besseres fiel ihr im Moment nicht ein und sie ärgerte sich darüber. Janet lachte: »Ja, das bin ich«, antwortete sie, »und drei Minuten jünger und eben ein Mädchen. Aber das stört nur ihn.« Und mit ihrem Kinn wies sie auf ihren Bruder.

Sandra musste lächeln. Da standen Bruder und Schwester vor ihr und sahen einander fast schon absurd ähnlich. Beide hatten kurze Hosen an und steckten in alten Turnschuhen, beiden hing der T-Shirt-Zipfel fast bis zu den Knien. Dann waren da noch zwei lange Hälse, zwei Stupsnasen, etliche Sommersprossen und zwei blonde Haarschöpfe, die schon lange keinen Kamm gesehen hatten.

»Schwestern sind ein Schicksalsschlag«, kam es nun von George. »Und zwar ein schwerer. Und Au-pair-Mädchen sind um nichts besser.«

»Jetzt reicht's aber, du Weiberhasser«, sagte Frau Allen energisch. »Da ist dir ja ein besonders herzlicher Willkommensgruß gelungen.« Sie drehte ihren Sohn in die andere Richtung und gab ihm einen Klaps auf den Po. »Und jetzt geh Hände waschen. Der Tee wartet schon auf der Terrasse.«

So hatte alles begonnen. Sandra saß im Schatten eines alten Baumes auf der großen Wiese vor dem Haus. Vor ihr fiel der Rasen ab, mündete in eine Felswand, unten rauschte das Meer. Regelmäßig schlugen die Wellen gegen den Strand, schäumten um die Felsen, spülten die Kieselsteine hin und her. Die Sonne spiegelte sich im Wasser und Möwen spielten auf den Wellenkämmen. Weit draußen kreuzte ein Segelschiff. Es war so weit entfernt, dass es wie ein Spielzeug wirkte. Eigentlich war es nur als winziges weißes Dreieck sichtbar, das wie schwerelos knapp vor dem Horizont hin und her fuhr. Sandra seufzte. Der Anfang war ziemlich mühsam gewesen. George hielt wirklich nichts von Mädchen und machte kein Hehl daraus; beim Aufstehen nicht, beim Schlafengehen nicht und dazwischen schon gar nicht. Und Sandra, die große Schülerin, die zwar in Geographie und Biologie ganz flott unterwegs war und der auch Mathematik-Formeln nur selten Schwierigkeiten bereiteten, war oft ratlos vor dem kleinen Mann gestanden, der da grimmig entschlossen Freches oder Trotziges mehr oder weniger laut von sich gab. Janet war einfacher, sie ertrug den Bruder mit Gleichmut und seine Streiche wie Schicksalsschläge. Auch war sie ja schon länger an ihn gewöhnt.

146

Es war heiß, fast schwül. Sandra strich sich eine Strähne aus der Stirn. In ihrem Nacken kitzelte es, geistesabwesend langte sie nach hinten und sprang dann mit einem Schrei auf. Vom Baum baumelte eine große schwarze Spinne, die an einem langen Faden hing und Halt suchend mit den Beinen strampelte. Der Faden verschwand im Geäst, aber dort, wo er verschwand, wurde ein braunes Bein sichtbar, ein schmutziger Turnschuh und ein zerschundenes Knie.

»George! Du bist wirklich unerträglich. Hab ich einen Schrecken bekommen! Und die arme Spinne!«

»Die arme Spinne.« George machte grinsend Sandras deutschen Akzent nach. »Die lebt gar nicht. Sie ist nämlich aus Plastik. Kann man im Supermarkt kaufen.« Er ließ sie auf und ab wippen. »War gar nicht so teuer.« Jetzt schwenkte er sie hin und her und sprang dann vom Baum. »Und man kann sie oft verwenden«, meinte er dann noch zufrieden.

Sandra zog ein Paket Kaugummi aus der Tasche und steckte einen in den Mund. Sie hatte von George manchmal wirklich genug.

»Bekomme ich auch einen?«, fragte dieser nun interessiert, während er den langen Faden um den Spinnenbauch wickelte und das eklige Tier dann irgendwo in seiner Hose verschwinden ließ.

»Nein«, sagte Sandra knapp.

»Und warum nicht?«

»Weil ich ein Mädchen bin und die sind nicht auszuhalten. Also sind ihre Kaugummis auch nicht gut.«

»Und wenn ich verspreche, die Spinne an dir nicht mehr auszuprobieren?«

»Nein.«

»Und wenn ich auch noch verspreche, bis heute Abend brav zu sein, ich meine, wenigstens bei dir?«

»Bis heute Abend und die ganze Nacht bis morgen früh. Und dein Ehrenwort drauf. Dann geb ich dir alle.«

»Ich schwör's auf meinen Kopf und auf die Spinne.«

Sandra schüttelte sich. Dann zog sie schweigend das Päckchen aus der Tasche und reichte es George. Der nahm es, grinste einmal schief, hob zwei Schwurfinger und trollte sich.

»Hat er's wieder mal geschafft, dich zu erpressen? Mach dir nichts draus, mit mir macht er das andauernd.« Janet war leise aus dem Haus und über die Wiese gekommen. »Mum lässt dir sagen, dass sie mit Dad in die Stadt gefahren ist Besorgungen machen. Sie kommen erst am Abend wieder. Wir sollen es uns heute Nachmittag gemütlich machen. Am Strand oder so, weil es so heiß ist.«

Sandra war in Gedanken noch bei Georges Versprechen. Ein ganzer Nachmittag Folgsamkeit bedeutete einen ganzen Nachmittag Ruhe – und eine ganze Nacht! Keine Regenwürmer unter dem Kopfpolster, keine Kröte im Kleiderkasten, kein versalzener Tee und kein Badeöl, das durch Maschinenöl ersetzt worden war – das klang fast zu schön, um wahr zu sein.

»Sieh mal«, sagte Janet nun und zeigte auf das kleine weiße Segel, »das ist Michael, der Nachbarssohn.« Sie schwieg ein Weilchen und dann sagte sie fast ehrfürchtig: »Ein toller Bursche ist das. Englischer Jugendmeister im Segeln. Und schön ist er obendrein. Find ich jedenfalls.«

»Und schön ist er obendrein!«, kam es verzerrt hinter einem Busch hervor.

»Pass auf, sonst verschaust du dich noch und das tut nicht gut.« Sandra verfolgte das Segelboot mit den Augen, dann drehte sie sich um. »Halt doch den Mund, George«, rief sie, »und denk an dein Versprechen. Sonst waren das die letzten Kaugummis, die es von mir gegeben hat.«

148

»Na gut«, kam es aus dem Busch. »Der Klügere gibt nach und der bin ich.«

Janet tippte sich ans Hirn und verdrehte die Augen zum Himmel.

»Und jetzt los«, sagte Sandra, »ab zum Strand. Holt eure Badesachen, ich mache uns eine Limonade und sehe, ob ich Kekse finden kann.«

»Und Schokolade und allsowas«, ergänzte George.

»Nur wenn du ...«

»Ich plag mich doch so, das siehst du doch. Also auch Schokolade, okay?«

Stillschweigend hatte Janet sich davongemacht, um ihre Badesachen zu holen. George folgte ihr. Und Sandra ging in die Küche und begann Zitronen zu pressen.

Es war schwül und die Luft schien stillzustehen. Kleine Wellen rollten glucksend heran, rieselten durch den Sand und schwappten träge über die Kieselsteine. Die Sonne brannte auf den Strand nieder, die Felsen schienen zu dampfen, Möwen kreischten irgendwo hoch oben in der Luft.

»Ich will keine Sonnencreme, das ist was für Mädchen«, sagte George und wollte schon ins Wasser laufen.

»George, dein Versprechen ...«

»Ich hasse Versprechen. Sonnencreme stinkt. Brrr ...« Widerwillig ließ George sich Gesicht und Schultern eincremen. Draußen kreuzte das Segelboot.

»Du, Sandra, soll ich mal das kleine Ruderboot holen, heute ist das Wasser ganz ruhig.«

»Gute Idee, wir könnten Saft und Kekse mitnehmen und draußen auf dem Felsen ein Picknick machen.«

Sandra legte die Hand vor die Augen und versuchte, die Distanz zum großen Felsen abzuschätzen.

»Wie lange rudern wir dorthin?«

»Eine halbe Stunde, mehr sicher nicht.«

»Wenn ich rudere«, George war zurückgekommen, »sind wir schneller. Ich bin der beste Ruderer weit und breit.«

Skeptisch betrachtete Sandra den hageren Jungen, seine dünnen Arme und staksigen Beine. Versuchen konnte man es ja. Die Sonne schien, das Meer war ruhig, wenn sie müde wurden, konnten sie immer noch umkehren.

»Also bitte, jeder zieht ein T-Shirt an und setzt einen Hut auf; habt ihr die Badehosen und die Handtücher?«, zählte Sandra an ihren Fingern ab, »und dann noch die Wolldecke zum Sitzen.«

»Wo ist der Picknick-Korb?« George schnappte ihn sich und lief voran.

»Schieb schon, Janet, du Schwächling. Hast wohl Grießbrei, wo andere die Muskeln spielen lassen!«

George war in seinem Element. Prustend und schwitzend schob und zog er an dem Ruderboot, das sich nur schwerfällig zum Wasser bewegen ließ.

»Quatsch weniger, dann geht's schneller«, antwortete Janet knapp und mit einem letzten Ruck landete das Boot im Wasser.

»Ich rudere«, bestimmte George. »Sandra sitzt vorne und Janet hinten. Ein Glück, dass es starke Männer gibt.«

»Na, mir soll's recht sein.« Janet setzte sich hin, ließ die Beine über den Kiel in das Wasser hängen und seufzte wohlig.

Sandra verstaute Picknick-Korb, Handtücher und Decke, gab dem Boot noch einen Schubser und sprang dann behende auf den vorderen Sitzplatz.

»Gar nicht übel für eine Landratte«, brummte George

150

anerkennend und Sandra grinste schweigend. Dass sie daheim in einen Ruderklub eingeschrieben war und schon so manches Rennen bestritten hatte, musste der Goldjunge ja nicht wissen.

George warf sich in die Riemen. Das Boot quietschte und knarrte, zügig kamen sie vorwärts. Sandra saß träumend am Bug, lauschte dem Glucksen der Wellen und genoss die Ruhe. Auch George und Janet waren still. George, weil er ruderte, und Janet, weil sie damit beschäftigt war, das Wasser zwischen ihren Zehen durchrinnen zu lassen.

Dann waren sie da. Der Felsen war groß und flach, von der Sonne aufgeheizt und vom Wasser glatt gewaschen. Die Luft stand still und flimmerte. Draußen, jetzt etwas näher, kreuzte das kleine Segelboot.

»Hmm, das war gut.« George schleckte sich die letzten Schokoladereste von den Fingern. »Kann ich noch etwas haben?«

»Ich glaube nicht,« antwortete Sandra, »sonst verdirbst du dir den Magen. Und dann bleibt uns nichts für später.«

»Na gut, dann gehe ich schwimmen.«

Nachdenklich wälzte sich Janet, die auf dem Rücken in der Sonne lag, auf den Bauch. Dann sah sie auf ihre Uhr.

»Wenn du schwimmen willst, dann tu es schnell«, sagte sie, »du weißt, jetzt kommt bald Ebbe und die Strömungen hier um den Felsen sind dann besonders gefährlich, sagt Mum immer.«

»Ach was, Strömungen«, antwortete George. »Ich schwimme doch nur um den Felsen herum. So wie immer. Und ich passe schon auf.«

Sandra zögerte. Dass die Ebbe bald einsetzen würde,

hatte sie nicht bedacht – und Strömungen, von denen sie nichts wusste, waren ihr unheimlich.

»Wann kommt die Ebbe?«, fragte sie.

»Die beginnt in einer Stunde«, antwortete Janet.

»Du siehst, es geht noch. Ich schwimme zehn Minuten und dann packen wir ein und haben noch genug Zeit, um an den Strand zurückzukommen.«

Janet nickte. »In Ordnung«, sagte sie. »Aber pass auf, wohin du schwimmst. Nicht hinaus, sagt Mum immer.«

»Sag schon ja«, drängelte George und blickte Sandra bittend an.

»Na gut, aber nicht mehr als zehn Minuten. Und wenn wir rufen, kommst du sofort wieder. Und nicht hinausschwimmen, hast du gehört.«

George verdrehte die Augen, seufzte und meinte: »Na gut, ganz wie du willst. Aber ich bin ja auch nicht ganz blöd.«

»Blöd hin, blöd her. Das Meer ist trügerisch, sagt Dad immer«, murmelte Janet und legte den Kopf auf die Arme.

George machte einen eleganten Kopfsprung, es spritzte leise auf und er war im Wasser.

Wohlig seufzend drehte sich Sandra auf den Rücken. Heiß war es. Sehr heiß. Und die Luft stand immer noch still.

Sandra schreckte auf. Beinahe wäre sie eingeschlafen. Nun blickte sie um sich und sah auf die Uhr. Eine weiße Wolke stand am Himmel, das Wasser schlug an den Felsen und draußen kreuzte noch immer das Segelboot. Zehn Minuten waren vergangen. George war nicht da. Wo war George?

Sandra rieb sich die Augen.

Dann sah sie einen Kopf weit draußen auf den Wellen tanzen. War es überhaupt ein Kopf? Und warum waren da plötzlich Wellen? Ein Windstoß fuhr Sandra durch die Haare. Woher kam der Wind?

»Janet, Janet, wach auf! Wo ist George?«

Janet hob den Kopf, stützte ihn verwirrt auf die Hände und schaute auf das Meer.

»Dort«, sagte sie dann und zeigt auf das, was wohl tatsächlich ein Kopf war. Dann blickte sie auf ihre Uhr.

»Mist!«, entfuhr es ihr. »Dreimal Mist! Mum sagt doch immer, er soll auf die Strömung achten. Und die Ebbe kommt auch bald.«

Jetzt sah man neben dem Kopf eine Hand aus dem Wasser kommen, einen Arm, der heftig winkte. Dann verschwand beides kurz hinter den Wellen.

Sandra wurde schwindlig. Ihr Magen krampfte sich zusammen.

»Los!«, rief sie und sprang auf. »Los, in das Ruderboot!«

»Ich kann gar nicht gut rudern.« Fast schluchzend brach es aus Janet heraus. »Was machen wir jetzt bloß? George wird abgetrieben oder er wird ertrinken – oder beides.« Verzweifelt sah sie zu Sandra auf.

»Aber ich kann rudern – und gar nicht so übel«, murmelte Sandra, nahm die Decke und den Picknick-Korb und sprang in das Boot.

»Ich komme mit! Ich bleibe nicht allein.« Janet war Sandra gefolgt, nahm Schwung, landete auf der Bank und machte den Knoten auf, der das Boot am Felsen festhielt.

Sandra begann zu rudern. Zuerst noch benommen und schwitzend, aber bald gewann sie zusehends an Rhythmus und Kraft.

»Schneller«, murmelte Janet. »Ich kann ihn schon fast nicht mehr sehen!«

Wieder kam ein Windstoß und zerraufte den beiden

Mädchen die Haare. Die Wolke war näher gekommen, die Wellen wurden größer und klatschten gegen das Boot.

Eins – zwei, eins – zwei. Als wäre sie ihr eigener Trainer, zählte Sandra halblaut mit. »Sag mir, ob die Richtung stimmt«, bat sie Janet.

»Mehr rechts. Ja, gut so. Du ruderst toll«, sagte Janet, dann biss sie sich auf die Unterlippe. »Ich sehe ihn nicht mehr. Die Wellen sind zu hoch. Was sollen wir bloß tun?«, schluchzte sie.

»Weiter in die Richtung rudern. Unkraut vergeht nicht. Er wird schon wieder auftauchen. Rufen wir doch einmal. Eins, zwei, drei ...«

»George!«, ertönte es aus voller Kehle und dann wieder: »George!«

»Es nützt nichts. Hier draußen ist der Wind zu laut«, überlegte Sandra und verbissen ruderte sie weiter.

»Ach, warum haben wir bloß keine Segel wie Michael da drüben!«

Janet blickte verzweifelt um sich. Draußen auf dem Meer war unbeirrbar das kleine Segelboot unterwegs.

»Da! Ich glaube, da war etwas!« Janet beugte sich nach vorne, stützte sich auf die Hände und versuchte etwas zu sehen. »Ja, da war seine Hand! Die Richtung stimmt, aber bitte, bitte, mach schneller!«

Sandra stand der Schweiß auf der Stirne, die Haare klebten an ihren Schläfen. »Schneller«, murmelte sie und dann im Takt »schnel-ler, schnel-ler!« Die Ruder klatschten ins Wasser, ruckartig schoss das Boot nach vorn.

»George! Ich sehe seinen Kopf. Wir sind schon näher!«

Sandras Oberarme begannen zu brennen. Komisch, dachte sie, wenn ich zu Hause so rudere, komme ich viel schneller, schnel-ler vorwärts.

»Vorwärts«, murmelte sie dann, »vor-wärts«, und dachte eine Weile an gar nichts. Ihr Rücken schmerzte. Dann fiel es ihr ein. Die Strömung war es. Etwas anderes konnte es nicht sein. Die Strömung hielt sie zurück. »Das darf doch nicht sein!«, entfuhr es ihr und dabei ließ ihr Griff an einem Ruder nach. Es sprang aus seiner Halterung und Sandras Arm fuhr ins Leere. »Au, meine Schulter!«, schrie sie auf.

Janet manövrierte das Ruder zurück. »Nichts da, Schulter«, sagte sie entschlossen. »Da vorne ist George. Wir haben ihn gleich!«

Sandra begann von neuem zu rudern. Jetzt brannten auch ihre Unterarme, in ihrem Kopf pochte es und die Schulter tat weh. Sehr weh. Eine Welle platschte über den Bug in das Boot. Sandras Füße wurden nass, das Salzwasser klebte an ihrer Haut.

»Da, noch etwas nach links. George! George! Da sind wir!« Janet hatte mit ihren Händen einen Trichter geformt und schrie, so laut sie konnte. Jetzt war Georges Haarschopf schon zu erkennen, seine weit aufgerissenen Augen und sein entsetzter Gesichtsausdruck. Wieder schwappte eine Welle in das Boot.

»O George. Halt durch! Bitte Sandra, noch ein bisschen, nur noch ein bisschen!«

Das Meer verschwamm vor Sandras Augen, rhythmisch pochte es in ihren Schläfen, die Strömung zog nach hinten und sie ruderte nach vorne. Nach vorne. Die Schulter. Der Kopf. Das Licht. Sie hörte die Ruder ins Wasser schlagen. Sie musste weiter. Weiter.

»Jetzt! Jetzt gleich!« Janet war außer Atem. Sie hatte sich auf den Bauch gelegt, ragte weit über den Bug hinaus.

»Fall nicht! Fall bloß nicht ins Wasser!«, keuchte Sandra.

Dann wankte das Boot, entsetzt schrie Sandra auf: »Pass doch auf!«

Aber Janet antwortete nicht. Es gurgelte und klatschte. Wild begann das Boot hin und her zu schaukeln.

»So, das wäre geschafft«, sagte Janet trocken. Sandra blickte auf. Das Meer schimmerte, die Sonne blendete. Ihre Schulter, wenn bloß ihre Schulter nicht so weh ...

»George«, rief Sandra und der Schmerz war vergessen. Janet hatte George in das Boot gehievt. Er kauerte jetzt triefend, spuckend und keuchend auf der Bank und Janet saß stolz daneben. Sandra ließ die Ruder los und beugte sich nach vorne.

»Alles in Ordnung?«, fragte sie und meinte dann: »Na, das war ja nicht zu früh, du Stinktier.« Dann kam die Wut in ihr hoch, die aufgestaute, schockierte Wut. »Wir hatten dir doch gesagt, dass du nur um den Felsen herum schwimmen darfst! Kannst du denn in deiner Blödheit gar nicht aufpassen?« Ihre Stimme zitterte und Sandra zitterte auch. »Gefolgt hast du nicht, dich hast du gefährdet, uns auch – ja, zum Teufel, denkst du denn gar nicht nach?«

George spuckte Wasser aus, fuhr sich durch den nassen Haarschopf. »Ich wollte wirklich nicht schlimm sein und aufgepasst habe ich auch. Aber die Strömung war schneller da, als ich dachte. Und dann habe ich gerufen, aber ihr habt nichts gehört.« Er schüttelte erschöpft den Kopf und spuckte noch einmal Wasser aus. »Danke trotzdem!«, sagte er, »das war wirklich toll von euch.« Und nach einer Weile: »Du ruderst verdammt gut – für ein Mädchen.«

»Das ist ja wahrhaftig noch ein Glück, dass ich rudern kann«, murmelte Sandra und ihr Blick fiel auf ihre Hände. »Au weh«, sagte Janet, denn auch sie sah jetzt die großen

Blasen, die rot und wässrig Sandras Handteller und Finger bedeckten.

»Au weh«, sagte sie dann noch einmal, drehte sich um, die Hand vor den Augen, und sah entsetzt zur Küste.

»Die Strömung. Jetzt hat sie uns. Und die Ebbe auch.«

»Der nächste Nachbar ist Amerika«, murmelte George.

»Ach, halt den Mund«, entfuhr es Sandra. »Wickle dich in die Decke und Janet – gib ihm ein Keks. Das wird ihm gut tun.«

Wieder griff sie nach den Rudern. Die Schulter schmerzte, die Blasen brannten, die Sonne auch. »Wenn uns bloß Michael sehen könnte«, sagte Janet. Dann stand sie auf und begann weit ausholend mit einem bunten Handtuch zu winken.

»Vorsicht, dass das Boot nicht kentert«, sagte George, aber auch er blickte besorgt auf den schon weit entfernten Strand.

Eins – zwei, eins – zwei, wie soll das weitergehen? dachte Sandra.

Wieder verschwand das Meer vor ihr und Janet, die da stand und winkte, stand und schrie und das Boot zum Schaukeln brachte, Janet hatte zwei Köpfe und vier Arme. Eine Strähne fiel Sandra ins Gesicht. Eine Welle schwappte über den Bug, Wasser rann salzig über ihre Wangen.

»Nein, ich weine nicht!«, stieß sie zwischen zusammengebissenen Zähnen hervor.

»Vorwärts, vor-wärts.«

»Es könnte gehen«, sagte George halblaut und gespannt. »Vielleicht sieht er uns! Soll ich mal rudern?«, wandte er sich dann an Sandra. »Bloß nicht, dir klappern ja die Zähne.« George wickelte sich fester in die Decke und seufzte. »Amerika ist weit und Haifische sind gierig. Der Atlantik hat hohe Wellen, das weiß jedes Kind.

Ach –«, sagte er dann, »wahrscheinlich sind wir verloren.«

Wie ein Motor bewegten sich Sandras Arme und Schultern vorwärts und rückwärts. Sie hielt die Augen geschlossen, den Kopf hatte sie nach hinten geworfen. Sie spürte den Sog des Meeres. Es zog und zerrte an ihnen. Sandra stemmte sich dagegen, mit letzter Kraft. Und die wird noch eine Weile halten müssen, ging es ihr durch den Kopf.

George war still und Janet sagte nichts. Es herrschte eine gespannte Ruhe, nur die Ruder klatschten regelmäßig ins Wasser und der Wind pfiff.

»Da!«, sagte Janet plötzlich. »Ich hab's gewusst. Er schafft es!«

Aber Sandra hörte nicht hin. Sie ruderte verbissen. Vorbeugen, eintauchen, rückziehen, heben. Sie hörte die Stimme des Trainers. Gleichmäßige Kraft, nicht übertreiben, Fingerspitzengefühl! Hopp, Sandra, hopp! Die Stimme wurde lauter, dröhnte in ihren Ohren. Sandra ruderte weiter. Dumpf schmerzte ihr Körper, brannte die Sonne. Neben ihr rauschte es und dann war ein helles Brausen zu hören. Jetzt platzt mein Kopf, dachte sie.

»Hör auf, Sandra, hör auf! Michael ist da. Sonst triffst du noch sein Boot mit dem Ruder!«, rief Sandra. Aber sie ließ die Ruder nicht los. Das Meer zog sie doch hinaus und sie musste an Land zurück. Vorwärts, eins – zwei. Das Ruderboot wankte, ein Ruder schlug hart auf. Meine Hände, dachte Sandra, meine Schulter, dann fiel ihr Kopf nach vorne.

»Vorsicht«, sagte eine tiefe Stimme, »immer nur ein paar Tropfen auf einmal, sonst verschluckt sie sich. George, halt ihr das Handtuch über den Kopf, damit sie Schatten hat. Janet, bereit zur Wende?«

»Okay, Käpt'n«, sagte Janet und auch George widersprach nicht.

Geduldig träufelte George mit der anderen Hand Limonade auf Sandras Lippen.

Vorsichtig richtete sie sich auf, griff sich an den Kopf und sah um sich.

»Du bist in Ohnmacht gefallen«, sagte George bewundernd. »Das hab ich noch nie geschafft.« Und eifrig fächelte er ihr mit dem Handtuch Kühlung zu. Am Steuer saß ein junger Mann, dunkle Haare und sehr weiße Zähne.

»Hallo, ich bin Michael«, sagte er, »und ich kann das Ruder momentan nicht loslassen. Aber es freut mich, dass du wieder wach bist. Janet, hängt das Boot noch dran? Wir wenden!«

»Aye, aye, Käpt'n!«

Das Segelboot neigte sich, Wasser rauschte, Sandra wurde schwindlig. Der Segelbaum schwang über sie hinweg, dann richtete sich das Boot wieder auf.

»So, geschafft. Immer ruhig parallel zur Küste, da kann keine Strömung gegen uns an und der Wind hilft auch.« Er hatte blaue Augen.

»Wir schaffen es noch vor Sonnenuntergang – du wirst sehen«, sagte er dann zu George.

»Das wird Frau Allen große Sorgen ersparen«, waren Sandras erste Worte. Wieder spürte sie es salzig über ihre Wangen laufen.

»Halt mal das Steuer«, sagte Michael kurz zu Janet, »aber fest!« Und mit einem Sprung saß er neben Sandra, legte den Arm um ihre Schultern, wischte ihr die Haare aus der Stirne. »Schöne Augen hast du«, sagte er, »und weinen ist jetzt nicht mehr notwendig.«

»Ojojoj, hat man Töne«, hörte man von George. »Das wird doch wohl nicht Liebe werden.«

»Halt die Klappe«, war die kurze Antwort. George grinste.

»Sag mal, Michael, wirst du mich bei den Eltern verraten?«

»Na, ein paar auf den Hintern würden dir nicht schaden«, antwortete Michael.

George seufzte. »Aber wenn du dich benimmst«, fuhr Michael fort, »sagen wir nichts, nicht wahr, Sandra?« Sandra nickte müde.

»Und wenn du zugibst, dass es wir Frauen waren, die dich gerettet haben, und nie wieder etwas gegen uns sagst –«, begann Janet.

»Das wird hart, obwohl du mit dem Retten ausnahmsweise Recht hast«, meinte George. Dann schaute er von Sandra zu Michael. »Aber meine Blödheit hatte auch was Gutes. Also, wenn ich nicht gewesen wäre …«

»Wo bleibt dein Ehrenwort«, fragte Michael kurz angebunden.

»Na gut, Ehrenwort«, antwortete George grimmig.

Sandra lächelte. Ihre Hände waren geschwollen, das Meer rauschte, die Sonne schien. Michael stand auf, ging zum Heck und nahm Janet das Ruder aus der Hand.

»Klar zur Wende?«, fragte er. Aber dabei sah er Sandra an.